KB075967

블로그로 스포츠 글쓰기

블로그로 스포츠 글쓰기

발　행 | 2024년 07월 10일
저　자 | 김진훈
펴낸이 | 한건희
펴낸곳 | 주식회사 부크크
출판사등록 | 2014.07.15.(제2014-16호)
주　소 | 서울특별시 금천구 가산디지털1로 119 SK트윈타워 A동 305호
전　화 | 1670-8316
이메일 | info@bookk.co.kr

ISBN | 979-11-410-9454-6

블로그로 스포츠 글쓰기

김진훈 지음

CONTENT

제 15장. 운동선수와 인성

머리말

블로그를 생산하고 소비하는 모든 사람들에게 이 책을 바칩니다.

　이 책은 우리나라에서 존재한 여러 기업의 블로그를 직접 운영하면서 희로애락과 함께 체육, 스포츠에 대하여 꾸준히 글을 쓴 내용들을 다시 수정 및 보완하였다.

　처음에는 네이버 블로그를 시작하였다. 블로그를 시작한 것은 우연이자 필연이었다. 왜냐면 대학에서 체육논리 및 논술이라는 교과목을 가르치면서 읽기와 쓰기에 대하여 강조를 하다가 예전에 아날로그 방식으로 수업을 진행하는 것이 작금의 디지털 혁명의 시대에 어울리지 않다는 생각에 수업 방식을 바꿔야 했기 때문이다. 이에 블로그로 글을 쓰고 이에 대하여 피드백을 하는 것이 가르치는 사람이나 배우는 사람 모두에게 이득이 될 것이라고 판단했다.

　그래서 블로그에 대하여 검색을 해보니 우리나라에서는 네이버에 대한 내용들이 많았고, 주위에서 블로그를 운영하는 사람들 또한 네이버 블로그를 하고 있었기에 자연스럽게 블로그를 개설하고 글을 쓰기 시작했다. 당연히 학생들에게도 블로그에 글을 편하게 쓰라고 권유를 했지, 필수는 아니라고 했다.

　학기를 마칠 때쯤 블로그를 운영하면서 글을 꾸준히 쓰는 학생들은 거의 없었다. 수업 중간에 지속적으로 글쓰기에 대하여 강조를 하였지만, 결과는 내가 원하는 대로 되지 않았다. 어쩌면 필수나 점수에 반영을 했으면 결과는 좋았을지 모른다. 하지만 강제로 하는 수업을 방식을 나 또한 원하지 않았고, 학생들이 부담 없이 자유롭게 글쓰기를 할 것이라는 나만의 착각을 새삼 다시 한 번 느끼게 되었다.

수업을 진행하면서 자청이 지은 역행자에 대해서 매일 같이 이야기 한 것 같다. 여기서 말한 많은 사람들은 어떤 일에 대해서 여러 다양한 이유로 시도조차 하지 않으며, 실행을 한 몇 안 되는 사람들 또한 지속하지 못하고, 몇 퍼센트의 사람만이 다른 결과를 만든다고 하였다.

체육논리 및 논술 수업 또한 몇 퍼센트의 사람인 역행자 수강생은 없었고, 스승인 내가 블로그 글쓰기에 역행자가 되었다. 나보다 어떻게 보면 수강생들이 읽기와 쓰기를 지속적으로 한다면 우리사회에서 역행자가 될 가능성이 더 높으며, 더 필요하였는데 결과는 그렇지가 않았다.

아는 만큼 보인다고 한다. 내가 글을 읽고 쓰면서 더 열심히 했던 것 같다. 그래서 나는 지금 선순환 구조를 만들고 있다. 그렇다고 해서 블로그로 엄청난 수익과 일명 파워블로그가 된 것이 아니다. 하지만 블로그 글쓰기를 통해서 행복해지고, 내성이 강해지고 있다는 것 자체가 나에게는 의미가 있고 가치가 있다.

하지만 일반적으로 블로그를 유명해지고, 돈을 벌어야지 우리는 그 사람을 인정하고 그 블로그를 신뢰한다. 어쩌면 자본주의 사회에서 틀린 말은 아니다. 그래서 나도 블로그 수익화를 위해 노력하고 있다. 그렇지만 블로그로 수익이 나기 위해서는 기본적으로 각 기업에서 요구되는 어느 정도 기준이나 광고를 받기 위한 절차를 통과해야만 수익창출이 되는 블로그가 된다.

우리나라 검색 점유율을 보면 네이버가 제일 크다. 그래서 나도 처음 네이버 블로그를 접하고 시작했다. 그리고 네이버애드포스터에 가입을 하고 어느 정도 기준이 된 후 애드포스터에 승인이 되었다. 그래서 매일 같이 1일 1포스트를 하다가 1차 광고 정지를 받았다. 애드포스터 정지 이유는 글에 광고클릭을 유도한 문구가 있었다는 것이다. 애드포스터를 받았다는 기쁨에 이웃들에게 감사의 인사를 한다는 것이 광고게재 정지를 받은 것이다.

모든 것은 직접 체험해 봐야 더 뼛속같이 느끼는 것 같다. 한달 동안 광고가 정지되니 당연히 수익은 0이었고, 1일 1포스트 하는 것이 귀찮고 하기 싫었다. 그래도 이 당시에 수업을 한 참 진행하고 있어 계속해서 글쓰기를 했다. 광고게재 제한이 풀리고 다시 신나게 글을 생성했다. 하지만 또 다시 이용제한을 받았다. 이때는 광고 무효클릭을 했다는 것이다. 내가 광고를 클릭하면 문제가 된다는 것은 1차 애드포스터 이용제한이 있을 때 알게 되어서 조심했는데 어떻게 이런 일이 발생했는지 아직도 모르겠다.

네이버 블로그로 하루 수익이 꾸준히 오르고 있던 시기라 더 짜증이 밀려왔다. 이용제한 3번이면 더 이상 애드포스터를 할 수 없다고 해서 다른 대안이 필요하다고 생각했다. 그래서 네이버 계정을 하나 더 만들어 블로그를 개설했다. 그런데 처음 개설된 네이버 블로그에 쏟은 열정과 글들을 생각하니 화가 치밀어 왔다. 차곡차

곡 쌓인 수익은 몰수 되었고, 글쓰기는 예전처럼 잘 되지 않았다. 2번째 개설된 네이버 블로그 또한 좀처럼 나아지지 않았다. 첫 번째 네이버 블로그의 서로 이웃이 5천명이 되고, 두 번째 서로 이웃 또한 3천명이 넘었지만, 네이버 블로그에 집중을 하지 못했다. 이렇게 가다가는 블로그 글쓰기에서 순리자가 되겠구나 생각이 들어서 초심으로 돌아가 블로그가 무엇인지에 대한 본질에 대하여 탐구하기 시작했다.

블로그는 네이버만 있는 것이 아니라 다음에도 있고, 구글에도 있었다. 그런데 나는 왜 네이버 블로그만 선택하고 집중을 했을까? 그만큼 네이버 블로그가 우리나라에서 차지하는 비율과 역사가 길기 때문인 것 같다. 블로그 글쓰기에 대한 새로운 변화를 위해서 네이버 블로그 2차 이용제한 때 다음에서 운영하는 블로그를 개설했다. 다음 블로그는 네이버 블로그부터 검색부터 여러 가지를 비교해도 장점보다는 단점이 많았다. 하지만 하나 좋은 것 중에서 제일 좋은 것은 수익화를 할 수 있는 여건이 있다는 것이다. 바로 구글 광고플랫폼인 애드센스를 받을 수 있다는 것이다.

다음 블로그를 운영하는 많은 사람들은 구글의 애드센스를 받기 위해 노력하고, 애드센스 승인 후에는 많은 수익화를 위해 블로그를 운영하는 사람들이 많다.

그래서 나도 이왕이면 다음 블로그를 시작했으니 애드센스를 받아야겠다는 마음으로 열심히 1일 1포스트를 하고 애드센스를 신청하였는데, 2주 후에 애드센스에 떨어졌다. 그리고 3번 더 신청을 하면서 많은 것들을 알게 되었다. 애드센스 승인 되는 것이 쉽지가 않기 때문에 애드고시라고 불리고 있으며, 크몽, 숨고처럼 재능이나 지식, 서비스 거래 플랫폼에서는 애드센스에 대한 많은 것들이 올라와 있으며, 거래되고 있었다.

내가 왜 애드센스에 떨어진 것인지 느낄 수밖에 없었다. 애드센스 승인에 대한 내행, 노하우에 대한 내용들을 보면서 구글에서 쉽게 광고를 주는 것이 아니구나와 함께 세계 1위는 다르기 다르다는 것을 알았다.

그래서 나만의 글쓰기가 아닌 구글 애드센스 승인이 되기 위한 글쓰기를 하기 시작하였고, 애드센스 공략집에 맞는 글쓰기와 블로그를 관리하였다. 지금은 애드고시에 합격하여 수익화를 이루고 있다. 그런데 최근에 광고 무효클릭 정책 위반으로 광고정지가 되었다. 이때 알게 된 사실은 블로그는 아무도 모르게 해야 한다는 것이었다. 가족이나 지인이 나의 블로그를 알면 말하지 않아도 광고를 클릭하는 경우가 생기고, 이것이 광고주를 보호하기 위한 무효클릭에 대한 제재가 될 수 있다는 것이다.

이렇게 또 한 번 다른 회사 블로그에서 경험을 하고 나니 정말 블로그에 글쓰기가 싫어졌다. 그래도 이 책이 나왔다는 것은 블로그 운영과 글쓰기의 목적에 있어 수익이 전부가 아니라는 것을 반증한다고 생각한다.

이 책은 총 4부로 구성되어 있다. 제 1부에서는 스포츠와 일상으로 제 1장은 여가와 스포츠, 제 2장은 일상과 스포츠, 제 3장은 체육유관단체, 제 4장은 스포츠와 과학의 주제로 블로그에 글쓰기를 하였다.

제 2부에서는 스포츠와 경제로 제 1장은 스포츠와 돈, 제 2장은 스포츠와 산업, 제 3장은 스포츠자격증과 직업, 제 4장은 체육과 스포츠 지원 사업으로 구성되어 있다.

제 3 부에서는 스포츠 정의와 개념으로 제 1장은 스포츠의 존재, 제 2장은 스포츠의 인식, 제 3장은 스포츠와 가치, 제 4장은 스포츠와 현상의 주제로 글쓰기를 하였다.

제 4부에서는 스포츠의 전망과 과제로 제 1장은 스포츠종목의 현황과 전망, 제 2장은 스포츠의 미래에 대하여 글쓰기를 하였다.

나는 오늘도 내일도 1일 1포스트를 할 것이다. 그러면서 더 성장하고 발전할 것이다. 지금까지 블로그 글쓰기가 내 인생에 많은 도움이 되고 있다. 나의 자존감은 더 높아졌고, 모든 일에 긍정적인 사고방식이 생겼으며, 자신감과 용기가 더 작용되고 있다. 그리고 우리가족들을 더 사랑하고 행복하게 사는 방법들을 알게 되었다.

마지막으로 이 책이 나올 수 있도록 많은 시간을 허락해준 와이프에게 너무 감사하고, 더 많이 놀아주지 못해 미안한 큰딸 김주화와 둘째딸 김서유에게도 고맙다고 전하고 싶다.

우리 가족 모두 사랑합니다. 늘 행복하게 살자.

제 1부 스포츠와 일상

우리사회에서 스포츠는 이제 밀접한 관계를 형성하고 있다. 우리가 이해하고 인식하는 스포츠는 전문체육이라고 할 수 있는 운동선수, 국가대표 선수, 프로선수와 지도자, 그리고 관계자들만을 위한 스포츠로 사고하였다. 그렇지만 88서울올림픽 이후 생활체육이라는 개념과 함께 전국의 많은 대학의 체육계열학과에서 생활체육, 사회체육, 레저스포츠라는 명칭과 교육과정이 형성되었고, 현재까지도 진행형이다.

그래서 우리나라 대학교의 체육계열학과에서는 전문체육선수들과 생활체육을 전공하는 학생들이 함께 학업을 하고 있는 상황이며, 전문체육선수들을 보통 체육특기자나 재능보유자라고 해서 정시모집이 아닌 수시로 모집을 하고 자기가 속한 대학의 이름을 걸고 스포츠 대회나 경기에 나가면서 이에 대한 보상으로 장학금이나 그 밖의 혜택을 보고 있다. 그리고 생활체육의 실기나 체육학의 하위학문을 전공하는 학생들을 일반학생들이라고 해서 정시에 모집한다.

대학교와 체육계열마다 다 다르겠지만 보통 일반학생들의 비율이 더 많다. 이렇듯 스포츠를 전공하는 학생 수는 일반 생활체육의 개념을 수가 더 많지만 아직도 우리사회는 스포츠를 이야기 할 때 전문체육이면서 엘리트스포츠에 국한하여 이야기 하는 경우가 더 많다. 이는 여러 가지 이유가 있겠지만 우리가 자주 보는 사람들이 흔히 전문체육 선수와 지도자, 그리고 관계자들이가 때문에 그렇게 인식하는 경우가 많다. 우리나라의 아마추어 스포츠대회나 국가대표 경기, 그리고 프로스포츠리그 등은 일반 대중들이 쉽게 볼 수 있는 보편적인 볼거리로 인하여 일반 대중이 직접 보거나 행하는 생활체육보다 더 스포츠를 이야기 할 때 중심에 있다.

아무리 많은 사람들이 보고, 행하고, 즐기더라도 일반적이거나 대중적이지 못하면 그만큼 제대로 이해되거나 인식되지 못하는 경우가 허다하다. 스포츠도 전문체육에 비해 생활체육에 대한 인식도 그러하다. 여기에 스포츠와 일상이라는 개념 또한 제대로 이해하거나 인식하지 못하는 경우들이 많다.

이에 1부에서는 스포츠와 일상이라는 개념을 제대로 파악하여 스포츠와 우리의 삶에 무엇인가?, 그리고 스포츠와 일상이 무엇인지에 대하여 살펴보도록 하겠다.

제 1장 스포츠블로그: 현실과 전망

1. 스포츠 블로그의 현실과 경쟁력

현재 스포츠 블로그는 많은 사람들이 운영하고 있어 경쟁이 치열합니다. 인터넷과 모바일 기기의 발달로 스포츠 관련 정보를 얻는 수많은 사람들이 블로그를 찾고 있습니다. 따라서 스포츠 블로그가 성공하기 위해서는 차별화된 콘텐츠와 질 높은 정보를 제공해야 합니다. 또한, 다른 블로그와의 경쟁에서 두각을 나타내기 위해서는 특정 분야에 대한 전문성과 꾸준한 업데이트가 필요합니다. 즉, 스포츠에 관한 최소한으로 1일 1포스팅과 함께 전문성이 있어야 경쟁력이 있다고 봅니다.

2. 스포츠 블로그의 미래 전망과 성장 방향

스포츠 블로그의 미래 전망은 매우 밝습니다. 스포츠는 꾸준한 인기를 끌며, 많은 사람들이 관심을 가지고 있습니다. 또한, 특정 스포츠 경기나 선수에 대한 정보뿐만 아니라, 피트니스, 건강, 스포츠 관광, 스포츠 산업, 스포츠 교육, 스포츠 강사, 스포츠 플랫폼 등 다양한 주제의 콘텐츠도 큰 관심을 받습니다. 따라서 스포츠 블로그는 창의적인 아이디어와 다양한 주제를 다룰 수 있는 능력을 갖추어야 합니다. 또한, 소셜 미디어와의 융합, 독자 참여를 유도하는 등 새로운 트렌드에 적극적으로 대응하여 성장할 수 있습니다. 그 바탕에는 스포츠를 제대로 이해하고 인식하고 있어야 하며,

전문성이 요구됩니다.

3. 스포츠 블로그를 성공시키기 위한 SEO 전략

스포츠 블로그를 성공시키기 위해서는 효과적인 SEO 전략이 필요합니다. 먼저, 키워드 연구를 통해 사람들이 자주 검색하는 스포츠 관련 키워드를 파악하고, 해당 키워드를 콘텐츠에 적절히 활용해야 합니다. 또한, 제목, 메타 태그, URL 등에도 키워드를 적절히 포함시켜 검색 엔진에서 노출될 확률을 높여야 합니다. 또한, 링크 구조와 내부 링크를 최적화하여 검색 엔진의 크롤링을 원활하게 도와주어야 합니다. 마지막으로, 소셜 미디어를 적극 활용하여 블로그의 콘텐츠를 홍보하고 공유함으로써 검색 엔진에서의 노출을 높일 수 있습니다. 모든 블로그가 가지고 있는 과제이듯이, 스포츠 블로그도 마찬가지라고 판단됩니다.

4. 결론

스포츠 블로그는 창의적인 콘텐츠와 효과적인 SEO 전략을 통해 성장할 수 있습니다. 경쟁이 치열한 스포츠 블로그에서는 차별화된 콘텐츠와 전문성을 갖추는 것이 중요하며, 미래에는 다양한 주제와 트렌드에 대응하여 성장할 수 있습니다. 또한, 효과적인 SEO 전략을 통해 검색 엔진에서의 노출을 높일 수 있으며, 소셜 미디어를 적극 활용하여 블로그의 홍보와 공유를 통해 독자들의 관심을 끌어야 합니다.

제 2 장 여가와 스포츠의 밀접한 관계

여가와 스포츠는 현대 사회에서 매우 중요한 부분을 차지하고 있습니다. 여가 활동의 핵심 영역 중 하나가 바로 스포츠 활동입니다. 여가와 생활의 질은 서로 밀접한 관계를 가지고 있으며, 특히 미래에는 자연과의 친화 관계 속에서 이루어지는 여가 스포츠 활동이 더욱 중요해질 것으로 예상됩니다.

1. 여가생활에서 스포츠의 필요성

여가생활에서 스포츠가 필요한 이유는 다음과 같습니다.

첫째, 스포츠는 신체적, 정신적 건강을 증진시킵니다. 규칙적인 운동은 심폐 기능 향상, 근력 강화, 스트레스 해소 등의 효과가 있습니다.

둘째, 스포츠는 사회성 및 협동심을 기를 수 있습니다. 팀 스포츠를 통해 타인과 소통하고 협력하는 능력을 기를 수 있습니다.

셋째, 스포츠는 여가 시간을 보내는 즐거운 활동입니다. 취미 활동으로서 스포츠는 삶의 활력소가 될 수 있습니다.

2. 인기 있는 여가 스포츠 활동

여가 스포츠 활동 중에서 특히 인기 있는 것들은 다음과 같습니다.

1) 래프팅: 고무보트에 여러 명이 타서 노를 저으며 물살을 헤쳐 나가는 활동으로, 주로 계곡이나 강에서 이루어집니다. 스릴과 자

연 속 여가를 즐길 수 있어 많은 사람들에게 인기가 있습니다.

2) 골프: 노년층에서 특히 인기가 높은 스포츠입니다. 골프는 정신 집중과 자세 교정에 도움이 되며, 자연 속에서 여가를 즐길 수 있어 많은 사람들에게 사랑받고 있습니다.

3) 구기 스포츠: 축구, 농구, 배구 등의 구기 스포츠는 남녀노소 누구나 즐길 수 있어 인기가 높습니다. 팀워크와 협동심을 기를 수 있으며, 스트레스 해소에도 도움이 됩니다.

3. 여가와 스포츠의 관계

여가와 스포츠의 관계는 매우 밀접합니다. 여가 활동의 중심 영역 중 하나가 스포츠 활동이며, 스포츠 활동은 여가 생활의 질을 높이는 데 기여합니다. 또한 여가 스포츠 활동은 자연과의 친화 관계 속에서 이루어지는 경우가 많아 삶의 질 향상에 도움이 됩니다. 이처럼 여가와 스포츠는 상호 보완적인 관계를 가지고 있습니다.

4. 여가 스포츠와 사회계층의 관계

여가 스포츠 활동은 사회계층과도 밀접한 관련이 있습니다. 일반적으로 상위 계층일수록 다양한 여가 스포츠 활동에 참여할 수 있는 기회와 자원이 많습니다. 반면 하위 계층은 경제적, 시간적 여유가 부족하여 여가 스포츠 활동에 참여하기 어려운 경우가 많습니다. 이로 인해 여가 스포츠 활동은 사회계층 간 격차를 심화시킬 수 있습니다. 따라서 정부와 지역 사회의 노력으로 여가 스포츠 활동에 대한 접근성을 높이고 형평성을 제고할 필요가 있습니다.

5. 결론

여가와 스포츠는 현대 사회에서 매우 중요한 부분을 차지하고 있습니다. 여가 활동의 핵심 영역 중 하나인 스포츠는 신체적, 정신적 건강 증진, 사회성 및 협동심 함양, 삶의 활력소 제공 등의 역할을 합니다. 또한 여가 스포츠 활동은 자연과의 친화 관계 속에서 이루어지며, 여가와 생활의 질을 높이는 데 기여합니다. 하지만 여가 스포츠 활동은 사회계층 간 격차를 심화시킬 수 있어 이에 대한 해결책 마련이 필요합니다. 이 글을 통해 여가와 스포츠의 밀접한 관계와 중요성을 이해할 수 있기를 바랍니다.

제 3 장 스포츠 여행의 매력과 추천 장소

1. 스포츠 여행의 장점과 이유

스포츠 여행은 많은 사람들에게 매력적인 선택이 됩니다. 첫째로, 스포츠를 즐기는 동안 건강을 챙길 수 있어 신체적인 이점이 있습니다. 둘째로, 다양한 스포츠를 경험하고 배우면서 새로운 기술과 기쁨을 얻을 수 있습니다. 마지막으로, 스포츠 여행은 동호회나 친구와의 교류를 통해 소통과 친밀감을 도모할 수 있는 기회를 제공합니다.

2. 인기 있는 스포츠 여행지 소개

1) 서핑 여행 - 하와이, 발리, 호주의 고아 해안 등 세계적으로 유명한 서핑 여행지를 경험해 보세요. 파도와 자연의 아름다움을 동시에 느낄 수 있는 최고의 목적지입니다. 우리나라는 강원도 양양, 제주도 지역이 인기가 높습니다.

2) 스키 여행 - 스위스 알프스, 캐나다 밴프, 일본 후쿠시마 등 스키 리조트에서 눈 위에서의 짜릿한 스포츠를 즐겨보세요. 풍경과 함께하는 스키 여행은 잊지 못할 추억을 선사합니다. 우리나라 스키는 강원도 지역에 여러 다양한 스키장들이 많습니다.

3) 다이빙 여행 - 호주 그레이트 베리어 리프, 태국 코사무이, 인도네시아 발리 등 아름다운 해양 생태계를 탐험해 보세요. 아래로 잠수하여 아름다운 해양 생물들을 만나는 재미를 느낄 수 있습

니다. 다이빙 또한 우리나라에서는 강원도와 제주도가 유명합니다.

3. 스포츠 여행에 필요한 장비나 준비물

스포츠 여행을 즐길 때 필요한 장비나 준비물은 스포츠 종류에 따라 다를 수 있습니다. 그러나 일반적으로 몇 가지 준비물이 필요할 수 있습니다. 여행하기 전에 아래의 사항들을 확인하고 준비해 보세요.

1) 스포츠 장비: 해당 스포츠에 필요한 장비를 준비해야 합니다. 예를 들어, 서핑을 즐긴다면 서핑보드, 라이프 재킷, 그리고 스노클링을 즐긴다면 스노클링 장비 등이 필요합니다. 각 스포츠 종목에 맞는 장비를 준비해야 합니다.

2) 의류: 스포츠에 따라 적합한 의류를 선택해야 합니다. 예를 들어, 스키를 즐긴다면 방한복, 장갑, 모자 등을 준비해야 하고, 다이빙을 즐긴다면 웻슈트와 부츠 등의 장비가 필요합니다. 해당 스포츠에 맞는 적절한 의류를 선택하여 준비하세요. 3) 보호 장비: 안전을 위해 필요한 보호 장비도 준비해야 합니다. 스포츠에 따라 헬멧, 보호대, 고글, 패드 등이 필요할 수 있습니다. 자신의 안전을 위해 적절한 보호 장비를 착용하는 것을 권장합니다.

4) 액세서리 및 기타 물품: 스포츠 여행을 더욱 편리하고 즐겁게 만들어 줄 액세서리나 기타 물품도 준비할 수 있습니다. 예를 들어, 스포츠용 가방, 선글라스, 스포츠 드라이브, 타월, 선크림 등이 있습니다. 여행지와 스포츠에 맞는 액세서리를 선택하여 필요한 물품을 챙기세요.

4. 결론

스포츠 여행의 결론과 마무리 스포츠 여행은 건강과 즐거움을 동시에 얻을 수 있는 멋진 경험입니다. 다양한 스포츠를 즐기며 새로운 도전과 성취를 경험할 수 있으며, 동시에 자연과의 조화를 느낄 수 있는 기회가 됩니다. 스포츠 여행은 신체적, 정신적으로 활력을 되찾을 수 있는 좋은 방법입니다.

제 4장 우리나라 야구응원문화: 열정과 함께하는 야구의 매력

1. 야구 응원의 역사와 전통

야구 응원문화는 우리나라에서 오랫동안 꾸준히 이어져온 전통입니다. 1980년대부터 야구 경기장에서의 응원은 그야말로 열정의 집결이었습니다. 특히 프로야구 리그의 개막 이후로는 응원 문화가 크게 확산되었으며, 야구팬들은 선수들을 응원하기 위해 다양한 방법으로 열정을 표현하였습니다. 응원가, 응원도구, 응원봉 등이 등장하면서 야구 경기장은 열기 넘치는 축제의 현장이 되었습니다.

2. 야구 경기장에서의 응원 문화

야구 경기장에서의 응원 문화는 다른 스포츠와는 차별화된 특징을 가지고 있습니다. 먼저, 야구팬들은 응원가를 함께 부르는 것이 일반적입니다. 각 팀마다 고유한 응원가가 있으며, 경기 도중에 응원가를 함께 부르는 모습은 경기장의 분위기를 한층 더 뜨겁게 만듭니다. 또한, 응원도구인 응원봉, 응원굿즈, 응원휘장 등을 들고 응원하는 모습도 야구 경기장에서 흔히 볼 수 있는 장면입니다. 이러한 응원도구들은 야구팬들끼리의 유대감을 형성하고, 선수들에게 힘과 용기를 전해줍니다.

3. 야구 응원의 사회적인 의미와 영향력

야구 응원은 단순한 경기 관람이상의 의미를 지니고 있습니다.

야구 경기장은 다양한 연령층과 직업, 사회적인 계층을 가진 사람들이 모여 하나의 공간에서 열정을 나누는 장소입니다. 이러한 응원 문화는 경기장 내부뿐만 아니라 경기 외부에서도 큰 영향력을 행사합니다. 경기 전후에는 응원가가 방송되며, 야구 응원 문화를 통해 야구팬들끼리 소통하고 공감할 수 있는 기회를 제공합니다. 또한, 야구 응원은 지역 사회에 활력과 경제적 이익을 주는 역할을 합니다. 경기장 주변의 상점들은 경기일에는 많은 사람들로 붐비며, 지역 경제에 큰 활기를 불어넣습니다.

4. 결론

우리나라 야구 응원문화는 열정과 함께하는 야구의 매력을 한껏 느낄 수 있는 문화입니다. 응원가와 응원도구를 통해 경기장은 축제의 현장으로 변모하며, 야구 경기는 단순한 스포츠 경기를 넘어서서 사회적인 소통과 연대의 장으로 작용합니다. 야구 응원은 선수들에게 힘을 주고, 지역 사회에 활력을 불어넣는 역할을 합니다. 이러한 야구 응원문화를 통해 우리는 서로를 응원하고 공감하며, 야구를 통해 하나로 연결된 커뮤니티를 형성할 수 있습니다.

제 5장 한국 캠핑 : 문제점 및 방향

한국은 다양한 캠핑 시설과 아름다운 자연환경으로 유명합니다.
캠핑은 많은 사람들에게 자연과의 소통과 휴식의 기회를 제공하며,
최근에는 그 인기가 더욱 커지고 있습니다. 이에 따라 캠핑 시설의
다양성과 편의성을 높이는 노력이 이루어지고 있습니다.

1. 캠핑 시설의 다양성과 편의성

한국의 캠핑 시설은 다양한 종류와 수준을 갖추고 있습니다. 캠
핑장은 캠핑카, 텐트, 카라반, 차박 등 다양한 숙박 시설을 제공하
며, 바비큐 시설, 샤워 및 화장실, 주차장 등의 편의 시설도 충분
히 갖추고 있습니다. 또한, 최근에는 인터넷 예약 시스템을 도입하
여 예약 절차를 간편하게 만들고 있습니다. 이러한 노력은 캠핑을
더욱 편리하고 다양한 사람들에게 쉽게 접근할 수 있게 해 주었습
니다.

2. 자연환경 보호와 캠핑의 상생

캠핑은 자연과 가까이 다가가는 활동이지만, 동시에 자연환경을
보호해야 하는 책임도 갖고 있습니다. 한국의 캠핑장들은 자연보호
를 위한 다양한 노력을 기울이고 있습니다. 예를 들어, 쓰레기 처
리 시설의 개선과 분리수거 교육, 자연보호를 위한 안내 및 교육
프로그램 등이 이루어지고 있습니다. 또한, 일부 캠핑장은 에코 캠
핑을 도입하여 친환경적인 캠핑을 즐길 수 있는 환경을 조성하고

있습니다. 이러한 노력은 자연과 캠핑의 상생을 이루는데 큰 도움이 되고 있습니다.

3. 캠핑 문제점과 개선 방향

하지만, 한국의 캠핑 문화에는 여전히 몇 가지 문제점이 있습니다. 첫째, 캠핑장의 과잉 이용으로 예약 어려움이 발생하는 경우가 있습니다. 둘째, 일부 캠핑장에서는 시설 관리의 부실로 인해 불편한 환경이 발생할 수 있습니다. 셋째, 일부 캠핑 참가자들의 쓰레기 처리 태도가 좋지 않아 자연환경에 피해를 줄 수 있으며, 과도한 음주가무로 캠핑문화를 잘못 만들어 가고 있습니다. 이러한 문제점을 해결하기 위해 캠핑 시설의 확충과 관리 강화가 필요합니다. 더 많은 캠핑장을 개발하고, 예약 시스템을 개선하여 공정하고 효율적인 예약이 이루어질 수 있도록 해야 합니다. 또한, 캠핑 참가자들에게 환경 보호의 중요성을 교육하고, 쓰레기 처리 규칙과 더불어 함께 하는 캠핑장 안전수칙을 엄격하게 시행해야 합니다. 이렇게 함으로써 한국의 캠핑 문화를 더욱 건강하고 지속 가능한 방향으로 발전시킬 수 있을 것입니다.

4. 결론

한국의 캠핑은 다양한 시설과 아름다운 자연환경을 제공하며 많은 사람들에게 휴식과 소통의 기회를 제공합니다. 캠핑 시설의 다양성과 편의성은 점점 더 발전하고 있지만, 여전히 개선해야 할 문제점도 있습니다. 자연환경 보호와 캠핑의 상생을 위해 캠핑 시설의 확충과 관리 강화, 캠핑 참가자들의 교육과 쓰레기 처리 규칙 강화, 더불어 쾌적한 캠핑장 문화가 필요합니다. 이를 통해 한국의 캠핑 문화를 더욱 발전시킬 수 있을 것입니다.

제 6장 운동과 컨디션: 건강한 생활을 위한 필수 조합

1. 운동의 중요성과 이점

운동은 우리 건강에 매우 중요한 역할을 합니다. 첫째, 운동은 심혈관 기능을 향상하고 심혈관 질환의 위험을 감소합니다. 꾸준한 유산소 운동은 심장 건강을 증진시키고 혈액 순환을 원활하게 합니다. 둘째, 운동은 체중 관리에 도움을 줍니다. 정기적인 운동은 칼로리 소모를 증가시키고 근육량을 유지하는 데 도움을 줍니다. 셋째, 운동은 스트레스 해소에 효과적입니다. 운동은 신체적 활동으로 인한 긴장을 풀고, 동시에 엔도르핀 분비를 촉진하여 기분을 개선시킵니다. 현대 사회에서 건강한 생활양식을 삶의 중심으로 두는 추세가 높아지고 있습니다. 그중에서도 운동은 체력 유지뿐만 아니라 심리적인 측면에서도 긍정적인 영향을 끼칩니다. 운동은 심장 건강을 증진시키며, 혈압과 혈당 조절에 도움을 주는 등 다양한 생리학적 효과가 있습니다. 뿐만 아니라, 규칙적인 운동은 스트레스 해소와 멘털 헬스에도 도움이 되어 긍정적인 에너지를 공급합니다.

2. 컨디션 유지를 위한 실용적인 팁

컨디션은 운동성과를 향상하고 부상을 예방하는 데 매우 중요합니다. 첫째, 충분한 수면을 취하세요. 충분한 휴식은 근육 회복과 신체의 재생에 도움을 줍니다. 둘째, 균형 잡힌 식단을 유지하세요. 영양가 있는 식품을 섭취하여 신체에 필요한 영양소를 공급하세요. 셋째, 스트레칭과 워밍업을 소홀히 하지 마세요. 근육을 준비하고 부상을 예방하기 위해 충분한 스트레칭과 워밍업을 실시하세요. 즉, 운동뿐만 아니라, 적절한 컨디션 관리도 중요합니다. 올바른 식습관과 충분한 휴식은 운동 효과를 극대화하는 데 도움이 됩니다. 또한, 수면의 질과 양을 유지하는 것은 전반적인 건강에 긍정적인 영향을 미칩니다. 컨디션 관리는 또한 스트레칭과 근력운동을 통한 유연성과 근력 향상에도 중요한 역할을 합니다. 이를 통해 다양한 운동 활동에 대비할 수 있고, 부상 예방에도 도움이 됩니다.

3. 운동과 컨디션의 상호 연관성

운동과 컨디션은 서로 상호 연관되어 있습니다. 운동을 통해 근육을 강화하고 유연성을 향상하면 컨디션을 개선할 수 있습니다. 또한, 컨디션을 유지하면 운동성과를 향상할 수 있습니다. 운동을 할 때 체력과 유연성을 유지하는 것이 중요합니다. 따라서 운동과 컨디션을 함께 고려하여 효과적인 운동 프로그램을 구성하는 것이 좋습니다. 모든 사람들이 동일한 운동 및 컨디션 계획을 적용하는 것은 어렵습니다. 각 개인의 체력 수준과 목표에 맞게 개인화된 계획이 필요합니다. 이를 위해 전문가의 조언을 듣고, 개인의 건강 상태와 목표를 고려한 맞춤형 운동 및 컨디션 계획을 수립하는 것이 중요합니다. 개인화된 계획은 지속 가능한 건강한 라이프스타일을 구축하는 핵심입니다.

4. 결론

운동과 컨디션은 건강한 생활을 위해 필수적인 조합입니다. 운동은 심혈관 건강, 체중 관리, 스트레스 해소에 도움을 주며, 컨디션은 운동성과 향상과 부상 예방에 중요한 역할을 합니다. 충분한 휴식과 균형 잡힌 식단, 스트레칭과 워밍업을 통해 컨디션을 유지하면 운동의 효과를 극대화할 수 있습니다. 따라서 운동과 컨디션을 함께 고려하여 건강한 생활을 추구해야 합니다.

제 7장 웰빙과 스포츠: 건강과 행복을 향한 새로운 길

1. 웰빙의 중요성과 스포츠의 연관성

현대 사회에서 건강과 행복은 더 이상 떼려야 뗄 수 없는 키워드로 자리 잡았습니다. 이에 따라 웰빙이라는 개념이 각광받고 있습니다. 웰빙은 건강을 유지하고 증진하는 것뿐만 아니라 일상생활에서의 품질을 향상하는 전체적인 웰빙 라이프스타일을 의미합니다. 이와 더불어 스포츠는 웰빙을 추구하는 데 높은 도움을 주는데, 그 이유를 알아보도록 하겠습니다.

2. 스포츠가 웰빙에 미치는 긍정적인 영향

스포츠는 신체적인 측면에서 건강을 촉진하는 데 뛰어난 역할을 합니다. 규칙적인 운동은 심혈관 기능을 강화하고 근육을 강화하여 체지방을 감소시킵니다. 이것은 단순히 몸만 건강해지는 것을 넘어서, 정신적인 면에서도 긍정적인 영향을 미칩니다. 운동은 스트레스 해소에 효과적이며, 우울증 예방과 감소에도 도움이 됩니다. 뿐만 아니라, 스포츠는 사회적인 측면에서도 웰빙을 증진시킵니다. 팀 스포츠는 협력과 소통을 촉진하여 대인관계를 강화하고, 개인 스포츠는 자기 통제와 자기 조절 능력을 향상합니다. 이러한 측면에서 스포츠는 우리의 삶에 긍정적인 변화를 가져옵니다.

3. 웰빙과 스포츠의 융합: 새로운 트렌드의 시작

최근에는 웰빙과 스포츠가 융합되는 새로운 트렌드가 등장하고 있습니다. 피트니스 브랜드와 웰빙 기업은 협력하여 특별한 휴가와 운동이 결합된 웰빙 여행을 제공하며, 이는 사람들에게 건강과 휴식을 동시에 제공하는 혁신적인 방법으로 주목받고 있습니다. 또한, 인플루언서들과 스포츠 스타들은 SNS를 통해 건강한 식습관과 운동 루틴을 공유하며 팔로워들에게 웰빙 라이프스타일을 제안하고 있습니다. 이를 통해 사람들은 보다 즐겁고 건강한 삶을 추구하게 되고, 이는 결국 사회 전체의 웰빙 수준 향상에 기여합니다.

4. 웰빙과 스포츠에 관한 다양한 자료 추천

웰빙과 스포츠의 영향에 대해 더 알아보기 위해 다양한 자료를 추천해 드릴 수 있습니다. 아래는 참고할 만한 자료들입니다.

1) 학술 논문: 학술 데이터베이스인 JSTOR 또는 Google Scholar에서 "웰빙과 스포츠"와 관련된 논문을 검색해 볼 수 있습니다. 또한 학술연구정보서비스에서 단행본, 학위논문, 학술지 논문 등의 학술적인 연구 결과를 통해 웰빙과 스포츠의 관계를 깊이 있게 이해할 수 있습니다.

2) 연구 보고서: 웰빙과 스포츠에 관한 정부 기관이나 비영리 단체의 연구 보고서를 찾아볼 수 있습니다. 이러한 보고서는 최신 트렌드와 정책에 대한 정보를 제공하며, 웰빙과 스포츠의 사회적인 영향을 파악하는 데 도움이 될 수 있습니다.

3) 신문 기사 및 매거진: 건강, 웰빙 또는 스포츠와 관련된 신문 기사나 매거진에는 웰빙과 스포츠의 영향에 대한 다양한 관점과 사례가 포함되어 있을 수 있습니다.

4) 온라인 커뮤니티 및 포럼: 웰빙이나 스포츠 관련 온라인 커뮤니티나 포럼에서 다른 사람들의 경험과 의견을 공유하는 것도 유익할 수 있습니다. 이러한 커뮤니티에서는 실제 사람들이 웰빙과 스포츠를 통해 어떤 변화를 경험했는지에 대한 이야기를 들을 수 있습니다.

5. 결론

웰빙과 스포츠, 우리의 미래를 밝히다 웰빙과 스포츠는 단순히 건강한 삶을 위한 수단을 넘어서, 행복하고 풍요로운 미래를 향한 관건이 됐습니다. 정기적인 운동과 올바른 식습관은 우리의 삶을 긍정적으로 바꾸고, 새로운 삶의 가치관을 형성하는 데 큰 역할을 합니다. 따라서 웰빙과 스포츠를 조화롭게 융합시키는 노력은 우리 모두에게 더 나은 미래를 열어줄 것입니다. 건강한 몸과 마음으로 가득 찬 행복한 삶을 위해 웰빙과 스포츠의 길을 걸어가 봅시다.

제 8장 스포츠의류: 현황과 전망

1. 스포츠의류 시장 규모와 성장 동향

스포츠의류 시장은 지속적인 성장을 보여주고 있습니다. 최근 연구에 따르면, 글로벌 스포츠의류 시장은 매년 약 5%의 성장률로 진전하고 있으며, 2025년까지 2조 달러 이상의 규모로 예상됩니다. 이는 운동 인식의 증가와 건강관리의 중요성이 부각되면서 스포츠 의류에 대한 수요가 높아지고 있는 결과입니다.

2. 스포츠의류 트렌드와 소비자 선호도

현재 스포츠의류 시장에서는 몇 가지 주요 트렌드가 관찰되고 있습니다. 첫째, 기능성과 스타일의 결합이 더욱 중요해지고 있습니다. 소비자들은 운동 시뿐만 아니라 일상생활에서도 편안하면서도 멋진 옷을 찾고 있습니다. 둘째, 지속 가능한 제품에 대한 관심이 증가하고 있습니다. 친환경적이고 윤리적으로 생산된 제품은 소비자들에게 큰 인기를 끌고 있습니다. 셋째, 스포츠 브랜드와의 협업이 활발히 이루어지고 있습니다. 유명 디자이너나 프로 스포츠 선수와의 협업을 통해 독특하고 특별한 제품이 출시되고 있습니다.

3. 스포츠의류 시장에서 가장 인기 있는 브랜드

스포츠의류 시장에서 가장 인기 있는 브랜드는 다양하게 있습니다. 패션 트렌드와 소비자의 취향에 따라 인기 브랜드가 변할 수 있으며, 이는 지역 및 시간에 따라 다를 수도 있습니다. 그러나 전 세계적으로 폭넓게 알려진 몇 가지 인기 있는 스포츠 의류 브랜드는 다음과 같습니다.

1) Nike (나이키): Nike는 오랫동안 스포츠 의류 시장에서 선두를 달리고 있는 세계적인 브랜드입니다. 다양한 스포츠 용품과 스타일리시한 디자인으로 소비자들에게 큰 인기를 얻고 있습니다.

2) Adidas (아디다스): Adidas는 운동화와 스포츠 의류 분야에서 유명한 브랜드입니다. 기능성과 스포티한 디자인으로 유명하며, 다양한 스포츠 분야에서 많은 선수들과 협업하여 인기를 얻고 있습니다.

3) Under Armour (언더 아머): Under Armour는 기능성 스포츠 의류로 유명한 브랜드입니다. 특히 피트니스와 운동선수들을 위한 제품을 출시하여 많은 사람들에게 사랑받고 있습니다.

4) Puma (푸마): Puma는 스포츠 의류와 운동화 분야에서 인기 있는 브랜드 중 하나입니다. 트렌디하고 스포티한 디자인으로 유명하며, 많은 유명 인물과 협업하여 홍보하고 있습니다.

5) Lululemon (룰루레몬): Lululemon은 주로 요가와 피트니스 의류로 유명한 브랜드입니다. 고품질 소재와 편안한 착용감으로 소비자들에게 인기를 끌고 있습니다. 이 외에도 많은 스포츠 의류 브랜드들이 있으며, 각 브랜드는 고유한 특징과 시장에서의 입지를 가지고 있습니다. 이는 소비자들의 취향과 용도에 따라 다를 수 있으므로, 개별적인 선호도에 따라 선택해야 합니다.

4. 최근에 출시된 새로운 스포츠의류 브랜드의 특징

1) 혁신적인 디자인: 새로운 브랜드들은 기존의 스포츠 의류 브

랜드와는 다른 독특한 디자인을 추구하기도 합니다. 새로운 소재, 패턴, 컬러 등을 활용하여 차별화된 제품을 제공하려고 노력합니다.

2) 지속 가능성: 많은 새로운 브랜드들은 지속 가능한 제품을 만들기 위해 노력합니다. 친환경적인 소재 사용, 재활용, 에너지 절약 등의 활동을 지원하며, 소비자들에게 환경적으로 책임감 있는 선택을 제공합니다.

3) 테크놀로지와 편의성: 스포츠 의류에는 편안함과 기능성이 중요한 요소입니다. 새로운 브랜드들은 테크놀로지를 활용하여 편안한 착용감과 기능성을 높이는 제품을 개발하려고 합니다. 피트니스 트래커와 연동되는 의류, 스마트 기능을 탑재한 의류 등이 그 예입니다.

4) 디지털 마케팅과 소셜 미디어 활용: 새로운 브랜드들은 디지털 마케팅과 소셜 미디어를 적극적으로 활용하여 브랜드 인지도를 높이고 소비자들과의 소통을 강화합니다. 온라인 쇼핑 경험을 개선하고, 소비자들의 피드백을 수용하여 제품 개선에 반영하는 등의 노력을 합니다. 새로운 브랜드들은 위와 같은 특징을 가지고 있을 수 있으나, 시장 상황과 트렌드 변동에 따라 다양한 특징을 가질 수 있습니다. 따라서 최신 정보를 확인하고자 한다면 해당 시기에 출시된 브랜드들을 탐색하고, 리뷰 및 기사 등을 참고하는 것이 좋습니다.

5. 요즘 트렌드에 맞는 스포츠의류 브랜드

1) 뉴발란스 (New Balance): 뉴발란스는 최근에 스포츠 의류

시장에서 큰 인기를 얻고 있는 브랜드 중 하나입니다. 편안한 착용감과 미니멀한 디자인으로 유명하며, 특히 러닝화와 트레이닝 의류 분야에서 인기가 많습니다.

2) 알파인더스트리 (AlpineStars): 알파인더스트리는 오토바이 및 모터스포츠 의류 분야에서 유명한 브랜드입니다. 최근에는 스트리트 웨어와 스포츠 의류를 섞은 스타일리시한 제품들로 주목받고 있습니다.

3) 언더아머 (Under Armour): 언더아머는 기능성 스포츠 의류로 유명한 브랜드입니다. 최근에는 편안한 착용감과 독특한 디자인을 결합한 제품들로 인기를 얻고 있으며, 트레이닝 의류와 운동화 분야에서 주목받고 있습니다.

4) 에어로포스테일 (Aeropostale): 에어로포스테일 스트리트 웨어와 캐주얼 의류로 유명한 브랜드입니다. 젊은 세대를 타깃으로 한 트렌디한 디자인과 합리적인 가격으로 많은 인기를 얻고 있습니다. 이는 일부 예시일 뿐이며, 스포츠 의류 트렌드는 변동성이 있으므로 최신 정보를 확인하고자 한다면 해당 시기에 출시된 브랜드와 제품들을 탐색하고, 리뷰 및 기사 등을 참고하는 것이 좋습니다.

6. 스포츠의류 업계의 미래 전망

스포츠의류 업계의 미래는 매우 밝아 보입니다. 다양한 스포츠 및 운동 유형의 인기가 계속해서 증가하고 있고, 이는 스포츠 의류 수요의 지속적인 성장을 의미합니다. 또한, 스포츠 의류 기업들은 기술과 혁신에 투자하여 제품의 기능성과 품질을 개선하고 있습니다. 예를 들어, 피트니스 추적기능이 내장된 의류나 통기성이 우수한 소재를 사용한 의류 등이 개발되고 있습니다. 이러한 동향은 스포츠 의류 시장이 더욱 성장할 수 있는 기회를 제공하고 있습니다.

7. 결론

스포츠의류 산업은 현재 성장하고 있으며, 앞으로도 더욱 발전할 것으로 전망됩니다. 소비자들의 운동 인식과 건강관리에 대한 관심이 높아지면서 스포츠 의류 시장은 계속해서 성장할 것으로 예상됩니다. 기능성과 스타일을 결합한 제품, 지속 가능한 제품, 그리고 브랜드 협업 등의 트렌드는 소비자들에게 다양한 선택지를 제공하고 있습니다. 스포츠 의류 기업들은 기술 혁신에 주력하여 시장 경쟁력을 유지하며, 스포츠 의류 산업의 미래를 주도할 것으로 기대됩니다.

제 9장 스포츠와 수면: 건강과 성과에 미치는 영향

1. 운동 후 풀어지는 근육과 수면의 상관관계

운동을 하면 우리의 근육은 긴장되고 힘을 발휘합니다. 이후 적절한 휴식을 취하지 않으면 근육 피로가 쌓이고 이는 수면에도 영향을 미칩니다. 수면 중에 근육은 회복되는 과정을 거치는데, 운동 후 충분한 수면을 취하면 근육 회복 속도를 향상할 수 있습니다. 따라서 스포츠와 수면은 긴밀한 관련이 있으며 운동 후 충분한 휴식을 취함으로써 근육 회복과 수면 질을 향상할 수 있습니다. 삶의 질을 향상시키기 위해서는 수면에 대해서 제대로 알고 있어야 합니다. 밑에 링크는 수면전문가에 대한 내용이니 참고하시면 좋을 것 같습니다.

2. 운동이 수면 질을 향상하는 방법

운동 자체가 수면 질을 향상하는데 도움이 될 수 있습니다. 운동은 신체 활동량을 증가시키고 스트레스를 해소시켜 줍니다. 이를 통해 우리는 더 깊고 풍부한 수면을 경험할 수 있습니다. 또한, 운동은 체온을 상승시키고 이후에 체온이 하강하면서 수면 상태로 진입하는데 도움을 줍니다. 일정한 운동 스케줄을 유지하고, 운동 후에는 충분한 시간을 두어 몸을 편안하게 만들어주는 것이 수면 질을 향상하는 방법입니다.

3. 잠부족이 운동성과에 미치는 영향과 극복법

잠부족은 운동성과에 부정적인 영향을 미칠 수 있습니다. 수면 부족은 우리의 인지능력, 집중력, 근력, 반응 속도 등을 저하시킬 수 있어 운동 효과를 감소시킬 수 있습니다. 따라서 잠부족을 극복하기 위해서는 수면 환경을 개선하고 규칙적인 수면 패턴을 유지하는 것이 중요합니다. 스마트폰이나 컴퓨터 등의 디지털 기기 사용을 수면 1시간 전에 중단하고, 편안한 침실 환경을 조성하여 풍부하고 편안한 수면을 취할 수 있도록 노력해야 합니다.

4. 잠부족일 때 스포츠를 해야 하는가?

잠부족인데도 스포츠를 하는 것에 대해서는 다양한 의견이 있습니다. 일부 사람들은 잠부족 상태에서도 스포츠를 하는 것이 긍정적인 영향을 줄 수 있다고 주장합니다. 그들은 운동을 통해 스트레스를 해소하고, 체력과 기운을 얻을 수 있으며, 운동 자체가 수면 질을 향상할 수 있다고 믿습니다. 하지만 잠부족인 상태에서 스포츠를 하는 것은 주의가 필요합니다. 수면 부족은 인지능력과 반응 속도를 저하시킬 수 있으며, 부상의 위험을 증가시킬 수도 있습니다. 또한, 지속적인 수면 부족은 건강에 부정적인 영향을 줄 수 있으므로, 잠부족 상태가 지속된다면 적절한 휴식과 수면을 취하는 것이 중요합니다. 따라서 잠부족인데도 스포츠를 하는 것은 개인의 상황과 목표에 따라 다를 수 있습니다. 만약 잠부족 상태가 일시적이고 경미하다면, 충분한 휴식과 조절된 운동으로 스포츠를 즐길 수 있을 수도 있습니다. 그러나 만약 지속적인 잠부족이나 심한 피로 상태라면, 전문가의 조언을 구하고 운동과 수면의 균형을 유지하는 것이 중요합니다.

5. 충분한 수면과 운동의 관계

충분한 수면이 운동에는 여러 가지 긍정적인 영향을 미칠 수 있습니다. 아래는 수면이 운동에 미치는 주요 영향 몇 가지입니다.

1) 회복과 재생: 충분한 수면은 근육의 회복과 재생에 중요한 역할을 합니다. 수면 중에는 성장 호르몬이 분비되어 손상된 근육 조직을 수리하고, 근육 섬유를 복원시키는데 도움을 줍니다. 이는 운동 후 근육 피로를 완화하고, 근력과 근지구력을 향상할 수 있습니다.

2) 인지능력과 집중력: 충분한 수면은 인지능력과 집중력을 향상합니다. 수면 부족은 주의력과 반응속도를 저하시키는데, 운동 중에는 정확한 동작과 빠른 반응이 필요하기 때문에 충분한 수면을 취하는 것이 중요합니다.

3) 에너지 수준: 수면은 에너지 수준을 조절하는 데에도 영향을 미칩니다. 충분한 수면을 취하면 신체의 에너지 수준이 회복되고, 운동 시 더 나은 성과를 내는 데 도움을 줄 수 있습니다.

4) 부상 예방: 충분한 수면은 부상 예방에도 중요합니다. 수면 부족은 근력과 균형을 저하시키고, 운동 도중 부주의나 적절한 자세 유지의 어려움을 초래할 수 있습니다. 충분한 수면은 운동 중에 발생할 수 있는 부상 위험을 감소시키는 데 도움을 줄 수 있습니다.

6. 결론

스포츠와 잠은 서로 긴밀한 관련이 있습니다. 운동 후 충분한 휴식을 취하고, 운동을 통해 스트레스를 해소하며, 수면 환경과 규칙적인 수면 패턴을 유지하는 것은 우리의 건강과 성과에 긍정적인 영향을 줄 수 있습니다. 따라서 스포츠를 즐기면서 적절한 휴식과 수면을 취함으로써 우리의 건강과 품질 좋은 생활을 유지할 수 있습니다. 세계의 유명한 스포츠 선수들은 시즌 중에도 많은 잠을 잔다고 합니다. 이에 대한 연구는 아직 명확하지 않지만, 그래도 스포츠 현장에서는 충분한 수면이 운동수행 능력에 긍정적으로 영향을 미치고 있다고 하니 스포츠를 한다면 더 많은 잠을 자는 것을 추천하고자 합니다.

제 10장 설날의 의미와 전통 놀이의 중요성

1. 설날의 의미와 전통 놀이의 중요성

설날은 한 해의 시작을 의미하는 중요한 한국 전통 명절입니다. 이날은 가족들이 모여서 함께 보내는 시간으로, 한국 문화와 가치를 체험하는 좋은 기회입니다. 설날 전통 놀이는 이날의 핵심적인 활동으로, 한국인들에게 큰 의미를 가지고 있습니다. 전통 놀이는 우리의 뿌리를 되돌아보고, 한 해의 풍요와 행운을 기원하는 의미를 담고 있습니다.

2. 설날의 배경과 역사적 의미

우리나라 설날은 한국의 가장 중요한 전통 명절로서, 음력으로 매년 1월 1일에 해당하는 날입니다. 설날은 농경사회에서 농사의 시작을 의미하는 시기로, 새해를 맞이하여 풍요와 행운을 기원하는 의미를 담고 있습니다. 설날은 또한 가족과 친지들이 모여 함께 보내는 시간이기도 합니다. 가족들이 모여 한 자리에 앉아 전통적인 음식을 함께 나누고, 선물을 주고받으며 다 함께 즐기는 모습이 특징입니다. 이러한 가족의 단결과 함께 새해의 출발을 의미하기도 합니다. 설날에는 다양한 전통적인 음식이 준비되는데, 그중 가장 대표적인 음식은 "떡국"입니다. 떡국은 떡을 주재료로 한 국물 요리로, 한 해를 건강하고 행복하게 보내기를 기원하는 의미가 있습니다. 또한, "만두" 같은 전통적인 음식도 준비되어 소중한 사람들과 함께 나누게 됩니다. 또한 설날에는 다양한 전통 놀이와 행사도 열립니다. 윷놀이, 딱지치기, 연날리기, 제기차기 등의 전통 놀이뿐만 아니라 서당개천, 전통 농악 공연, 설날 굿 등의 문화 행사도 많이 개최됩니다. 이렇게 설날은 한국인들에게 깊은 문화적인 의미와 가족과의 소중한 시간을 함께 나누는 자리로서, 우리 문화의 핵심 가치를 담고 있는 명절입니다.

3. 대표적인 설날 전통 놀이 소개

가장 대표적인 설날 전통 놀이로는 윷놀이, 제기차기, 강강술래 등이 있습니다. 윷놀이는 널리 알려져 있는 게임으로, 윷을 던져 나온 결과에 따라 말을 움직여 승부를 겨룹니다. 제기차기는 놀이 방법이 한 사람씩 차기도 하고 여러 사람이 모여서 마주 차기도 합니다. 서울에서는 한번 차고 땅을 딛고, 또 차고 땅을 딛고 하는 따위의 제기차기를 '땅강아지', 두 발을 번갈아 가며 차는 것을 '어지자지', 땅을 딛지 않고 계속 차는 것을 '헐랭이'라고 합니다. 한편, 전라남도 고흥지방에서는 땅강아지를 '땅지기', 어지자지를 '양발지기', 헐랭이를 '들지기'라고 합니다. 강강술래는 정월대보름이나 한가위, 설날 같은 연중행사 때, 달 밝은 밤 부녀자들이 모여 손을 잡고 원을 그리며 춤과 노래를 함께 하는 원무형태의 춤. 국가무형문화재 제8호입니다. 원시시대부터 1년 중 가장 달이 밝은 밤에 축제를 벌이고 노래하며 춤추던 풍습에서 비롯된 것으로 여겨집니다. 처음부터 끝까지 쉬지 않고 노래와 춤이 이어져 구성지고 활기차며, 활달한 여성의 기상을 보여주는 민속놀이입니다. 이외에도 지역마다 다양한 전통 놀이가 있으며, 이를 통해 지역 간의 문화 차이를 경험할 수 있습니다.

4. 설날 전통 놀이의 장점과 현대적 변화

설날 전통 놀이는 다양한 장점을 가지고 있습니다. 첫째, 가족과 함께 참여하는 것을 통해 가족 유대감을 강화시킬 수 있습니다. 설날은 가족들이 한자리에 모이는 기회이기 때문에, 전통 놀이를 함께 즐기면서 소통과 협력을 도모할 수 있습니다. 둘째, 전통 놀이는 체력과 균형감각을 향상하는 데 도움을 줍니다. 윷놀이나 강강술래와 같은 놀이는 몸을 움직이는 활동이므로 건강에도 이로울 뿐만 아니라, 소년소녀들이 재미있게 놀며 성장할 수 있는 기회를 제공합니다. 또한, 현대 사회에서는 전통 놀이를 현대적으로 변화시켜 새로운 재미를 더할 수 있습니다. 예를 들어, 전통적인 윷놀이를 온라인 게임으로 만들거나, 제기차기를 모바일 앱으로 즐길 수 있습니다.

5. 결론

설날 전통 놀이를 통해 한국문화를 경험하고 이어가는 가치가 있습니다. 한국의 설날 전통 놀이는 오랜 역사와 깊은 의미를 지니고 있습니다. 이를 통해 한국인들은 자신들의 문화와 전통을 경험하고 이어가는 가치를 느낄 수 있습니다. 또한, 전통 놀이를 통해 가족과 함께하는 시간을 보내며 소통과 협력을 기를 수 있고, 건강과 균형감각을 향상할 수 있습니다. 더불어, 전통 놀이를 현대적으로 변화시켜 새로운 재미를 얻을 수 있습니다. 설날 전통 놀이는 우리의 문화유산이며, 이를 소중히 여겨 이어나가는 것이 중요합니다.

제 11장 우리나라에서 테니스 유행: 인기 상승의 이유와 효과

1. 테니스의 인기 상승 배경과 동향

테니스는 최근 우리나라에서 빠르게 인기를 얻고 있는 스포츠 중 하나입니다. 이러한 테니스 인기 상승의 배경은 다양한 요인들로 인해 나타나고 있습니다. 우선, 국내외에서 개최되는 테니스 대회들이 많아지면서 테니스에 대한 관심이 높아졌습니다. 그리고 전문 테니스 선수들의 활약과 성과도 테니스 인기 상승에 큰 역할을 해왔습니다. 또 하나의 이유는 코로나19 상황에서 테니스가 사회적 거리두기 모임제한에 따른 상황에서 다른 스포츠 종목에 비해 크게 지장을 받지 않은 점과 젊은 MZ세대들이 테니스에 많은 관심과 직접 즐기면서 더더욱 인가가 상승하였습니다. 특히 MZ여성들이 테니스 복장을 하고 테니스장에서 찍은 사진이나 영상들이 SNS를 통해서 유통되면서 테니스의 인기상승을 부추겼습니다.

2. 우리나라에서 테니스를 즐기는 이유와 장점

테니스를 즐기는 이유는 다양합니다. 먼저, 테니스는 개인 또는 팀과의 경기로 진행되기 때문에 개인의 실력과 노력이 직접적으로 결과에 영향을 미칩니다. 이는 많은 사람들에게 스스로의 능력을 증명하고 성취감을 느낄 수 있는 기회를 제공합니다. 또한, 테니스는 전신 운동으로서 체력과 근력을 함께 향상할 수 있는 스포츠입니다. 이러한 이유로 테니스는 우리나라에서 다양한 연령층의 사람들에게 인기를 끌고 있습니다.

3. 테니스 유행의 사회적 영향과 미래 전망

테니스의 인기 상승은 사회적 영향을 미치고 있습니다. 테니스를 통해 친목과 교류의 장이 형성되고, 스포츠 문화의 활성화에도 기여하고 있습니다. 또한, 테니스를 즐기는 사람들은 건강한 라이프스타일을 추구하며, 스트레스 해소와 몸의 균형을 유지하는데 도움이 되고 있습니다. 또한 테니스는 시간이 남아서 하는 스포츠가 아니라 시간을 내서 하는 스포츠이기 때문에 개인의 가치와 함께 적극적인 성격으로 변화되어 삶의 질을 추구하는 일조하고 있습니다. 앞으로의 테니스 전망은 밝습니다. 젊은 선수들의 등장과 국내외 테니스 대회의 활성화로 인해 테니스의 인기는 더욱 높아질 것으로 예상되며, MZ세대들과 유명인들이 즐겨하면서 테니스의 전망은 더 밝게 하고 있습니다.

4. 결론

테니스가 우리나라에서 지속적인 인기를 누리는 이유와 효과 우리나라에서 테니스의 인기가 지속적으로 상승하는 이유는 다양한 요인들이 작용하고 있습니다. 국내외 대회의 활성화와 전문 선수들의 성과, 개인의 실력 향상과 건강한 라이프스타일을 추구하는 사람들의 관심 등이 그 주요한 원인입니다. 이러한 테니스의 인기 상승은 사회적으로도 긍정적인 영향을 미치며, 미래에도 더욱 높아질 것으로 전망됩니다.

제 12장 야구의 뜨거운 순간, 벤치클리어링의 모든 것

1. 벤치클리어링의 정의와 발생 배경

야구 경기 중 간혹 볼 수 있는 장면 중 하나가 바로 벤치클리어링입니다. 이는 양 팀 선수들이 모두 벤치를 떠나 경기장 안으로 몰려드는 상황을 말합니다. 대개는 투수가 타자에게 고의적으로 위험한 공을 던지거나, 선수 간의 물리적 충돌이 발생했을 때 주로 일어납니다. 이러한 벤치클리어링은 경기의 긴장감을 높이고, 때로는 팀의 결속력을 다지는 계기가 되기도 합니다. 하지만 동시에 선수들의 부상 위험을 증가시키고, 경기의 흐름을 방해하는 요소로 작용할 수 있습니다.

2. 벤치클리어링이 야구에 미치는 영향

벤치클리어링은 단순한 충돌 이상의 의미를 가지고 있습니다. 첫째, 팀 간의 라이벌 관계를 더욱 공고히 할 수 있습니다. 잊을 수 없는 한 판의 대결은 팬들에게도 큰 관심사가 되며, 팀의 정체성을 강화시키는 요소로 작용할 수 있습니다. 둘째, 선수들 사이의 결속력을 높일 수 있습니다. 공동의 '적'에 맞서 싸우는 과정에서 팀워크가 강화되고, 이는 경기력 향상으로 이어질 수 있습니다.

하지만 부정적인 측면도 존재합니다. 벤치클리어링이 과도할 경우, 선수들의 부상 위험이 커지고, 스포츠맨십에 어긋나는 행동으로 비칠 수 있습니다. 따라서 야구단과 리그는 이를 적절히 관리하고 제어해야 할 필요가 있습니다.

3. 벤치클리어링 관리 및 예방 방안

벤치클리어링을 효과적으로 관리하고 예방하기 위해서는 여러 방안이 필요합니다. 우선, 리그 차원에서 명확한 규정을 설정하고, 이를 엄격히 집행해야 합니다. 고의적인 위험 피치나 불필요한 신체 접촉에 대한 처벌을 강화함으로써 선수들이 경각심을 가지도록 해야 합니다.

또한, 각 팀은 선수들에게 스포츠맨십의 중요성을 교육하고, 경기 중 감정적으로 대응하는 것을 자제하도록 해야 합니다. 마지막으로, 팬들도 경기를 감상하면서 선수들에게 긍정적인 에너지를 전달하고, 부정적인 행동을 조장하지 않는 문화가 정착되어야 합니다.

4. 결론

벤치클리어링은 야구 경기의 한 부분으로서 팀의 결속력을 다지고, 경기에 긴장감을 불어넣는 역할을 할 수 있습니다. 하지만 이것이 과도하게 이루어질 경우, 선수들의 안전을 위협하고 경기의 흐름을 방해할 수 있으므로 적절한 관리와 예방이 필요합니다. 야구 리그와 각 팀, 그리고 팬들이 함께 노력한다면, 벤치클리어링이 야구의 매력을 더하는 요소로 남을 수 있을 것입니다. 이는 야구가 단순한 스포츠를 넘어, 감동과 열정이 넘치는 드라마로 발전해 나가는 데 중요한 역할을 할 것입니다.

제 13장 우리나라 초등학교 1학년, 체육 교과가 없다?!

우리나라 초등학교 1학년에는 체육 교과가 없다는 사실을 알고 계신가요? 이는 선진국에서는 거의 유례를 찾아볼 수 없는 독특한 교육 체제입니다. 이러한 교육 체제가 아이들의 건강한 성장에 어떤 영향을 미치는지 자세히 살펴보겠습니다.

1. 초등학교 1학년 체육 교과 부재의 배경

우리나라 초등학교 1~2학년에 체육 교과가 없는 이유는 무엇일까요? 이는 오랜 역사적 배경을 가지고 있습니다.

1) 교육과정 개편의 역사: 1954년 교육과정 개편 당시 초등학교 1~2학년에 체육 교과가 포함되지 않았습니다. 이후 1963년, 1973년, 1981년 등 여러 차례 교육과정 개편이 있었지만, 체육 교과 편성에 대한 논의는 이루어지지 않았습니다.

2) 교육 정책의 우선순위: 그동안 우리나라 교육 정책의 주된 관심사는 학업 성취도 향상이었습니다. 체육 교과는 상대적으로 중요도가 낮게 여겨졌습니다.

3) 교육과정 구성의 한계: 초등학교 1~2학년 교육과정은 '즐거운 생활'이라는 통합 교과로 구성되어 있습니다. 체육 활동이 이 교과 내에 포함되어 있지만, 체육 교과로 독립되지 않았습니다.

2. 초등학교 1학년 체육 교과 부재의 문제점

초등학교 1~2학년에 체육 교과가 없다는 것은 아이들의 건강한 성장에 부정적인 영향을 미칠 수 있습니다.

1) 신체 활동 부족: 아이들의 본능적인 움직임 욕구를 제약하게 됩니다. 이는 신체 발달과 건강한 생활습관 형성에 악영향을 줄 수 있습니다.

2) 체력 저하: 체육 수업 부재로 인해 아이들의 체력 저하가 우려됩니다. 이는 향후 건강한 성장과 발달에 장애가 될 수 있습니다.

3) 정서적 발달 저해: 체육 활동은 아이들의 정서적 발달에도 긍정적인 영향을 미칩니다. 그러나 체육 교과가 없는 경우, 이러한 정서적 발달이 저해될 수 있습니다.

4) 교육 격차 발생: 선진국에서는 초등학교 1학년부터 체육 교과가 독립적으로 편성되어 있지만, 우리나라는 그렇지 않습니다. 이로 인해 국제적인 교육 격차가 발생할 수 있습니다.

3. 초등학교 1학년 체육 교과 도입을 위한 노력

이러한 문제점을 해결하기 위해 정부와 교육계에서는 다양한 노력을 기울이고 있습니다.

1) 체육 교과 도입 논의: 최근 교육부는 초등학교 1~2학년에 체육 교과를 도입하는 방안을 검토하고 있습니다.

2) 학교스포츠클럽 활성화: 중학교에서는 학교스포츠클럽 운영을 활성화하여 체육 활동 기회를 제공하고 있습니다.

3) 교육과정 개편 추진: 향후 교육과정 개편 시 초등학교 1~2학년 체육 교과 편성을 적극적으로 검토할 것으로 보입니다.

4) 국제 교육 동향 파악: 선진국의 사례를 참고하여 우리나라 교육 체제 개선을 위한 노력이 필요합니다.

4. 결론

우리나라 초등학교 1학년에 체육 교과가 없다는 사실은 아이들의 건강한 성장과 발달에 부정적인 영향을 미칠 수 있습니다. 이를 해결하기 위해 정부와 교육계에서는 다양한 노력을 기울이고 있습니다. 앞으로 초등학교 1~2학년에 체육 교과가 도입되어 아이들의 신체적, 정서적 발달을 도모할 수 있기를 기대해 봅니다.

제 14장 생애주기별 스포츠의 중요성과 추천 활동

생애주기별 스포츠 활동은 건강한 삶을 유지하고 증진시키는 데 필수적입니다. 각 생애주기에 맞는 스포츠 활동은 신체적, 정신적 건강을 향상하고, 사회적 상호작용을 증진시킬 수 있습니다. 이 글에서는 생애주기별로 추천하는 스포츠 활동과 그 중요성에 대해 알아보겠습니다.

1. 어린이와 청소년기의 스포츠

1) 신체 발달 촉진: 어린이와 청소년기에는 신체적, 인지적 발달이 활발히 이루어지는 시기입니다. 축구, 농구, 수영과 같은 스포츠는 신체적 기술을 발달시키고, 협동심과 사회성을 길러줍니다.

2) 건강한 생활 습관 형성: 정기적인 운동 습관은 어린 시절에 형성되며, 이는 평생 건강한 생활 습관으로 이어질 수 있습니다. 운동을 통해 스트레스 관리 방법을 배우고, 자신감을 키울 수 있습니다.

3) 어린이 스포츠의 중요성: 어린이의 건강한 성장을 위해 운동은 필수적입니다. 운동은 식욕을 증가시키고, 정서적 안정을 도모하며, 집중력을 향상합니다.

4) 어린이 추천 스포츠: 축구, 농구, 수영, 유도 등

5) 청소년 중요성: 청소년기에는 신체적, 정신적으로 급격한 변

화가 일어납니다. 다양한 스포츠를 경험해 보고 자신에게 맞는 스포츠를 찾는 것이 좋습니다.

6) 청소년 추천 스포츠: 테니스, 배드민턴, 댄스, 탁구 등

2. 성인기의 스포츠

1) 스트레스 해소와 정신 건강: 직장 생활과 사회적 책임이 증가하는 성인기에는 스트레스 관리가 중요합니다. 요가, 필라테스, 조깅과 같은 활동은 스트레스를 줄이고, 정신 건강을 유지하는 데 도움을 줍니다.

2) 만성 질환 예방: 꾸준한 신체 활동은 고혈압, 당뇨병, 심장 질환과 같은 만성 질환의 위험을 낮출 수 있습니다. 헬스, 수영, 사이클링은 성인기에 적합한 스포츠 활동입니다.

3) 성인기 스포츠의 중요성: 성인기에는 스트레스 관리와 건강 유지가 중요합니다. 꾸준한 운동은 스트레스를 줄이고, 만성 질환의 위험을 낮출 수 있습니다.

4) 성인기 추천 스포츠: 요가, 필라테스, 조깅, 사이클링 등

3. 노년기의 스포츠

1) 신체 기능 유지 및 개선: 노년기에는 근육량 감소와 신체 기능 저하가 일어납니다. 걷기, 스트레칭, 수중 운동은 근육을 강화하고, 관절의 유연성을 높여줍니다.

2) 사회적 상호작용 증진: 스포츠클럽이나 건강 프로그램에 참여하는 것은 노년기의 사회적 고립을 방지하고, 삶의 질을 향상할 수 있습니다. 동료들과의 활동은 정서적 지지를 제공하며, 새로운 사회적 관계를 형성하는 기회가 됩니다.

3) 노년기 스포츠의 중요성: 노년기에는 신체 기능 유지 및 개선이 중요합니다. 근육량 감소와 신체 기능 저하를 방지하기 위해 꾸준한 운동이 필요합니다.

4) 노년기 추천 스포츠: 걷기, 스트레칭, 수중 운동, 게이트볼 등 각 연령대에 맞는 스포츠 활동을 통해 건강을 유지하고 증진시키는 것이 중요합니다. 자신에게 맞는 스포츠를 찾아 즐기면서 건강한 생활을 영위해 보세요.

4. 결론

생애주기별 스포츠 활동은 각 단계에서의 신체적, 정신적 건강을 증진시키고, 사회적 상호작용을 향상하는 중요한 역할을 합니다. 어린이와 청소년기부터 시작하여 성인기, 노년기에 이르기까지, 적절한 스포츠 활동을 통해 건강하고 활기찬 삶을 영위할 수 있습니다. 여러분도 생애주기에 맞는 스포츠 활동을 찾아보고, 건강한 생활을 시작해 보세요.

제 15장 스포츠플랫폼의 혁신: 디지털 시대의 소비 변화

스포츠플랫폼은 현대 사회에서 스포츠 소비 방식을 혁신적으로 변화시키고 있습니다. 디지털 기술의 발전과 함께, 스포츠플랫폼은 사용자에게 더욱 풍부하고 다양한 경험을 제공하며, 스포츠 산업의 성장을 촉진하고 있습니다. 이 글에서는 스포츠플랫폼의 중요성, 기능, 그리고 장단점을 살펴보고, 마지막으로 스포츠플랫폼이 앞으로 나아가야 할 방향에 대해 논의해 보겠습니다.

1. 스포츠플랫폼의 중요성

1) 디지털 변환: 스포츠 산업은 디지털 변환을 통해 대중의 건강과 복지 향상에 기여할 수 있습니다. 모바일 앱을 통한 스포츠 소비 선호도가 높아지고 있으며, 정부와 공공기관은 민간 부문의 서비스 개발 및 배포를 장려해야 합니다.

2) 젊은 세대의 관심 증가: 젊은 세대는 스포츠에 대한 관심이 높지만, 스트리밍과 모바일 경험을 선호합니다. 이러한 변화하는 스포츠팬의 행동을 이해하고 참여시키기 위해서는 기술 개발과 데이터 분석이 필요합니다.

2. 스포츠플랫폼의 기능

1) 팬 참여 증진: 스포츠플랫폼은 웹사이트 회원 프로필, 온라인 제품 구매, 팬이 시청한 비디오 분석 등 다양한 기능을 통해 팬

참여를 증진시킵니다.

2) 다양한 스포츠 경험 제공: 스포츠플랫폼은 경기 중계, 실시간 상호작용, 경기 후 편집 영상 제공 등을 통해 사용자에게 다양한 스포츠 경험을 제공합니다.

3. 스포츠플랫폼의 장단점

1) 장점: 스포츠플랫폼은 빠른 대응력과 종합적인 대응 능력을 바탕으로 콘텐츠를 컨텍스트화할 수 있는 능력을 가지고 있습니다. 이를 통해 사용자에게 맞춤형 스포츠 경험을 제공할 수 있습니다.

2) 단점: 하지만, 스포츠플랫폼의 발전은 기술적 한계와 개인정보 보호 문제 등 다양한 도전 과제를 안고 있습니다. 이러한 문제들을 해결하기 위한 지속적인 노력이 필요합니다.

4. 스포츠플랫폼이 스포츠 산업에 미치는 영향 분석

1) 기술 발전과 e스포츠 산업의 성장

(1) 기술의 역할: 기술 발전은 e스포츠 산업의 성장에 중요한 역할을 하고 있습니다. 개선된 그래픽, 빠른 인터넷 속도, 고급 스트리밍 플랫폼 등은 e스포츠의 경험을 향상하고, 이 산업의 발전을 가속화하고 있습니다.

2) COVID-19 팬데믹의 영향

(1) 스포츠 산업에 미친 영향: COVID-19 팬데믹은 전 세계 경제와 스포츠 산업에 심각한 영향을 미쳤습니다. 스포츠 활동의 감소, 소비자 지출의 감소, 스포츠 비즈니스의 수익 감소 등이 발생했습니다. 유럽연합(EU) 회원국의 스포츠 산업에 대한 피해를 분석한 결과가 있습니다.

3) e스포츠 산업의 자생력 강화

(1) 팬덤과 수익 창출: e스포츠 산업은 대부분 기업 후원에 의존하고 있으며, 구단들은 재정적인 적자를 고민하고 있습니다. 수익화 모델이 부족한 상황에서, 구단들은 스스로 수익을 창출하여 독립적으로 성장할 필요가 있습니다. 팬덤을 기반으로 한 자생력 강화가 중요한 전략으로 부상하고 있습니다.   ;

5. 결론

스포츠플랫폼은 디지털 시대에 스포츠 소비 방식을 혁신하고, 사용자에게 새로운 경험을 제공하는 중요한 역할을 하고 있습니다. 앞으로도 기술 발전과 사용자의 니즈에 맞춰 더욱 발전해 나가야 할 것입니다. 스포츠플랫폼의 미래는 밝으며, 이를 통해 스포츠 산업 전반에 긍정적인 변화를 가져올 것으로 기대됩니다.

제 2부 스포츠와 경제

 스포츠와 경제는 서로 긴밀하게 연결되어 있으며, 두 분야의 상호
작용은 현대 사회에서 중요한 역할을 하고 있다. 스포츠는 단순한
오락을 넘어 경제적 활동과 밀접한 관계를 맺고 있다. 이 글에서는
스포츠와 경제의 관계를 다양한 측면에서 살펴보고자 하였다.

 첫째, 스포츠는 거대한 경제적 산업이다. 프로 스포츠 리그, 국제
대회, 그리고 스포츠 용품 산업 등은 모두 막대한 경제적 가치를
지니고 있다. 예를 들어, 미국의 NFL, NBA, MLB와 같은 프로 리
그는 매년 수십억 달러의 수익을 창출한다. 또한, 올림픽과 월드컵
과 같은 국제 대회는 개최국의 경제에 큰 영향을 미치며, 관광, 숙
박, 식음료, 교통 등 다양한 분야에서 경제적 파급 효과가 있다.

 둘째, 스포츠는 일자리 창출에 기여한다. 선수, 코치, 심판 등 직
접적인 스포츠 관련 직업뿐만 아니라, 마케팅, 관리, 미디어, 의료
등 다양한 분야에서 수많은 일자리를 제공한다. 대규모 스포츠 이
벤트는 일시적으로나마 많은 일자리를 창출하며, 지역 경제 활성화

에도 기여한다.

셋째, 스포츠는 지역 경제 발전에 중요한 역할을 한다. 새로운 경기장이나 스포츠 시설의 건설은 지역 경제에 긍정적인 영향을 미칠 수 있다. 예를 들어, 경기장 주변에 새로운 상업 지구가 형성되고, 관광객 유입이 늘어나면서 지역 경제가 활성화된다. 또한, 지역 스포츠 팀이 성공하면 지역 주민들의 자부심이 높아지고, 지역 사회가 더욱 결속될 수 있다.

넷째, 스포츠 산업은 광고와 마케팅의 중요한 플랫폼이다. 기업들은 스포츠 이벤트를 통해 브랜드를 홍보하고, 스포츠 스타들을 통해 제품을 마케팅 한다. 이는 기업의 매출 증대로 이어지며, 스포츠 팀과 선수들에게도 막대한 스폰서십 수익을 안겨준다.

마지막으로, 스포츠는 사회적 가치를 창출한다. 건강 증진, 사회 통합, 교육적 효과 등 스포츠가 주는 긍정적인 영향은 경제적 가치로 환산하기 어렵지만, 분명히 중요한 부분이다. 스포츠 참여는 개인의 신체적, 정신적 건강을 개선하고, 팀워크, 리더십, 공정성 등 중요한 사회적 기술을 배울 수 있는 기회를 제공한다.

스포츠와 경제는 상호 보완적인 관계를 맺고 있으며, 스포츠 산업은 현대 경제에서 중요한 위치를 차지하고 있다. 스포츠는 경제적 성장, 일자리 창출, 지역 발전, 광고와 마케팅, 그리고 사회적 가치

창출 등 다양한 측면에서 큰 역할을 하고 있다. 앞으로도 스포츠와 경제의 상호작용은 계속해서 중요한 연구 주제가 될 것이며, 이를 통해 더 나은 사회적, 경제적 발전을 이루어낼 수 있을 것이다. 이에 제 2부에서는 스포츠와 경제에 대하여 글쓰기 하였다.

제 1장 스포츠와 자본주의: 경제적 측면에서의 상호작용

1. 스포츠 산업의 성장과 자본주의의 영향

스포츠 산업은 지난 몇 십 년 동안 급속하게 성장해 왔습니다. 이는 자본주의의 영향력이 커지면서 그 영향을 받았기 때문입니다. 자본주의는 시장 경제와 경쟁을 중심으로 한 경제 체제로, 스포츠 산업도 이러한 경제 체제의 영향을 받고 있습니다. 경제적인 측면에서 스포츠는 큰 규모의 투자와 수익을 유발하며, 이로 인해 자본주의의 원칙과 상호작용하게 됩니다. 스포츠천국이라고 할 수 있는 미국의 스포츠에 대하여 하단의 내용들을 참고하시면 좋을 것 같습니다.

2. 자본주의와 스포츠 경쟁의 연결점

스포츠는 경쟁을 기반으로 한 활동입니다. 경쟁은 자본주의의 핵심 원칙 중 하나로, 경쟁을 통해 효율성과 혁신이 촉진됩니다. 스포츠 경기에서의 경쟁은 선수들이 최고의 성과를 내기 위해 노력하고, 팀들이 우승을 위해 경쟁하는 모습으로 나타납니다. 이는 자본주의 체제에서 경쟁이 경제와 사회 발전에 도움을 주는 것과 유사한 원리입니다.

3. 스포츠의 상업화와 경제적 이슈

스포츠의 상업화는 자본주의와 더불어 급속도로 진행되고 있습니다. 스포츠 경기는 오로지 스포츠만을 위한 것이 아니라, 상업적인 목적과 이익을 추구하는 모습을 보입니다. 스포츠 팀과 선수들은 스포츠 제품의 홍보, 스포츠 중계권의 판매, 스포츠 관중의 유인 등을 통해 상당한 수익을 창출합니다. 이러한 경제적 이슈는 자본주의의 원칙과 스포츠의 상호작용을 보여줍니다.

4. 자본주의와 스포츠의 관계

자본주의와 스포츠는 긴밀한 관련성을 가지고 있습니다. 자본주의는 시장 경제와 경쟁을 기반으로 한 경제 체제로, 이는 스포츠 산업에도 큰 영향을 미칩니다. 스포츠는 경쟁과 이기기를 중요시하는 활동이며, 경쟁은 자본주의의 원칙 중 하나입니다. 이로 인해 스포츠는 경제적인 측면에서 큰 규모의 투자와 수익을 야기하게 되고, 이는 자본주의의 원칙과 상호작용하게 됩니다. 스포츠의 상업화 역시 자본주의와 관련이 깊습니다. 상업적인 목적과 이익을 추구하는 스포츠 산업은 스포츠 제품의 홍보, 중계권의 판매, 관중 동원 등을 통해 상당한 수익을 창출합니다. 이는 자본주의 체제에서 이뤄지는 경제적인 활동으로 볼 수 있습니다. 하지만 자본주의와 스포츠의 관계는 단순히 긍정적인 면만 있는 것은 아닙니다. 상업적인 목적과 이익을 추구하는 과정에서 스포츠의 순수성과 정직성이 훼손될 수도 있습니다. 또한, 자본주의의 원칙에 따라 경제적인 힘을 가진 소수의 개인이 스포츠 산업을 독점하거나 지나치게 통제할 수도 있습니다. 이는 스포츠의 가치와 공정성에 영향을 미칠 수 있습니다. 따라서 자본주의와 스포츠의 관계는 다양한 측면을 가지고 있으며, 이를 평가할 때는 스포츠의 가치와 원칙을 지키는 데 초점을 둘 필요가 있습니다. 상업적인 측면과 함께 스포츠의 순수성과 공정성을 유지하며, 자본주의의 원칙과 스포츠의 상호작용을 균형 있게 조절하는 것이 중요하다고 생각합니다.

5. 스포츠 경기에서 과도한 자본주의적인 요소와 문제점

1) 경기의 공정성 저해: 자본주의적인 요소가 지나치게 강조되면 돈이나 이익을 추구하는 것이 경기의 핵심이 되어 경기의 공정성이 훼손될 수 있습니다. 이는 선수나 팀의 능력보다는 자본력이 승부를 좌우할 수 있는 상황을 만들 수 있습니다. 이는 경기의 결과가 예측 가능하거나 조작될 수 있다는 의심을 야기하며, 스포츠의 가치와 열정을 훼손시킬 수 있습니다.

2) 경기의 상업화로 인한 압박: 자본주의적인 요소가 과도하게 들어가면 경기에 대한 상업적인 압박이 증가할 수 있습니다. 이는 선수들이 경기 결과보다는 상업적인 이익을 중시하게 만들 수 있으며, 선수의 개인적인 이익을 추구하는 행동이 늘어날 수 있습니다. 이는 스포츠의 정직성과 순수성을 훼손시킬 수 있습니다.

3) 경기의 경제적인 격차: 자본주의적인 요소가 지나치게 강조되면 경기에 참여하는 팀이나 개인의 경제적인 격차가 커질 수 있습니다. 돈이 많은 팀이나 선수가 경기에서 더 큰 이점을 가질 가능성이 있으며, 경기의 결과가 예측 가능한 상황을 만들 수 있습니다. 이는 경기의 경쟁성을 저하시키고, 작은 팀이나 선수들이 경쟁할 수 있는 기회를 제한할 수 있습니다.

4) 팬들의 관심 감소: 자본주의적인 요소가 지나치게 강조되면 스포츠 경기가 순수한 스포츠의 경험이 아니라 상업적인 이벤트로

인식될 수 있습니다. 이는 팬들의 관심을 감소시킬 수 있으며, 스포츠 경기에 대한 열정과 충성도가 저하될 수 있습니다. 이는 스포츠 경기의 관중 동원과 시청률 하락으로 이어질 수 있습니다. 따라서 스포츠 경기에서 자본주의적인 요소가 과도하게 들어가면 경기의 공정성, 상업화 압박, 경제적인 격차, 그리고 팬들의 관심 감소 등 다양한 문제가 발생할 수 있습니다. 이러한 문제를 예방하기 위해서는 스포츠의 순수성과 공정성을 유지하며, 자본주의의 원칙을 적절하게 균형 있게 조절하는 것이 중요합니다.

6. 자본주의 스포츠의 균형

1) 규정과 규제의 강화: 스포츠 단체와 관련 기관은 자본주의적인 영향력을 통제하기 위한 규정과 규제를 강화해야 합니다. 경기 조작, 뇌물, 경제적인 격차 등을 방지하기 위한 강력한 규정과 법률을 마련하여 공정성을 보장해야 합니다. 또한, 자본주의적인 영향력이 경기 결과에 영향을 미치지 못하도록 경기의 독립성과 중립성을 보장해야 합니다.

2) 투명성과 감독 체계 강화: 스포츠 단체와 관련된 결정과 운영에 대한 투명성을 높여야 합니다. 자본주의적인 영향력을 통한 불공정한 결정이나 행위를 방지하기 위해 감독 체계를 강화하고, 이를 통해 의사 결정 과정을 투명하게 공개해야 합니다. 이를 통해 팬들과 관심자들은 스포츠의 공정성과 투명성을 신뢰할 수 있게 됩니다.

3) 경제적인 균형 유지: 스포츠 경기에 참여하는 팀이나 개인 사이의 경제적인 격차를 완전히 없애는 것은 어려울 수 있습니다. 하

지만, 경제적인 균형을 유지하기 위해 소수의 팀이나 선수들이 지나치게 독점적인 경제적인 이익을 추구하는 것을 방지해야 합니다. 이를 위해 수익 분배 체계를 공정하게 운영하고, 작은 팀이나 선수들에게도 공정한 경제적인 기회를 제공해야 합니다.

4) 스포츠의 가치 강조: 스포츠의 가치와 역할을 강조하여 자본주의적인 요소보다는 스포츠의 순수성과 열정을 중시해야 합니다. 스포츠 단체와 관련된 마케팅이나 상업적인 활동은 스포츠의 가치를 훼손하지 않도록 조절되어야 합니다. 또한, 스포츠 단체와 선수들은 사회적 책임을 다하고, 스포츠의 긍정적인 영향력을 강조하는 활동을 지속적으로 추구해야 합니다. 위와 같은 노력을 통해 자본주의와 스포츠의 균형을 유지할 수 있으며, 스포츠의 공정성과 가치를 보호하고 발전시킬 수 있습니다. 이는 관심자들과 팬들의 신뢰를 얻고, 스포츠의 장기적인 지속성을 보장하는 데 도움이 됩니다.

7. 결론

스포츠와 자본주의는 경제적인 측면에서 깊은 상호작용을 나타냅니다. 스포츠의 성장과 상업화는 자본주의의 영향 아래에서 이루어지며, 경쟁과 경제적 이슈는 두 개념을 더불어 연결시킵니다. 이러한 상호작용은 스포츠 산업과 경제 발전에 긍정적인 영향을 미치고 있습니다. 자본주의 원칙과 스포츠의 상호작용은 앞으로도 계속해서 이어질 것으로 예상됩니다.

제 2장 스포츠로 돈을 벌 수 있는가와 스포츠산업의 미래

1. 스포츠로 돈을 벌 수 있나요?

네, 스포츠는 다양한 채널을 통해 상당한 수익을 창출하는 수익성 있는 산업이 될 수 있습니다. 스포츠 산업은 프로 리그, 팀, 운동선수, 경기, 방송, 상품 등을 포함한 광범위한 활동을 포함합니다. 여기에 스포츠가 돈을 버는 몇 가지 방법이 있습니다.

미디어 권리와 방송: 주요 스포츠 행사, 리그 및 토너먼트의 중계권은 종종 텔레비전 네트워크 및 스트리밍 서비스에 판매됩니다. 이러한 거래는 수십억 달러의 가치가 있으며 스포츠 조직의 전체 수익에 크게 기여할 수 있습니다.

후원 및 후원: 스포츠 팀과 운동선수들은 종종 브랜드와 후원 및 후원 계약을 체결합니다. 회사들은 그들의 마케팅 전략에 기여하면서, 인기 있는 운동선수들 또는 팀들과의 가시성과 연관성에 대해 비용을 지불합니다.

티켓 판매: 티켓 판매 수익은 스포츠 팀, 특히 프로 리그에서 중요한 수입원입니다. 팬들은 경기, 경기, 또는 행사에 직접 참석하기 위해 티켓을 구입합니다.

상품화: 팀 저지, 모자, 그리고 다른 브랜드 물품들을 포함한 스포츠 상품들은 주요한 수입원입니다. 팬들은 자주 그들이 가장 좋

아하는 팀이나 운동선수들을 지원하기 위해 상품들을 구입합니다.

라이선스: 스포츠 조직은 비디오 게임과 의류에서부터 장난감과 액세서리에 이르기까지 다양한 제품에 사용하기 위해 그들의 브랜드와 로고에 라이선스를 부여합니다. 이 라이선스는 추가적인 수입을 창출합니다.

광고와 마케팅: 스포츠 행사는 광고와 마케팅을 위한 기회를 제공합니다. 회사들은 방송 중에, 경기장 간판에, 그리고 다른 홍보 통로를 통해 광고 공간에 대한 비용을 지불합니다.

선수 계약과 연봉: 프로 운동선수들은 그들의 팀과 계약을 통해 연봉을 받습니다. 이 계약들은 기본 연봉, 성과 보너스, 그리고 다른 인센티브를 포함할 수 있습니다.

토너먼트와 이벤트 상금: 경쟁적인 토너먼트가 있는 스포츠에서 참가자들은 상금을 놓고 경쟁할 수 있습니다. 이것은 e스포츠뿐만 아니라 테니스, 골프와 같은 개별 스포츠에서도 흔히 볼 수 있습니다.

시설 임대: 경기장과 같은 스포츠 시설은 행사, 콘서트 및 기타 활동을 위한 공간을 임대하여 수익을 창출할 수 있습니다.

스포츠 베팅: 일부 지역에서는 스포츠 베팅이 스포츠 산업의 전체 수익에 기여합니다. 이것은 합법적인 스포츠 베팅 운영과 판타지 스포츠 플랫폼을 모두 포함합니다.

2. 스포츠 산업의 미래는 어떻게 될까요?

스포츠 산업의 미래는 다양한 트렌드와 발전에 의해 형성될 것으로 보입니다. 미래를 예측하는 것은 본질적으로 불확실하지만, 다음과 같은 몇 가지 요소들이 스포츠 산업의 궤도에 영향을 미칠 것으로 예상됩니다.

기술 통합: 증강 현실(AR), 가상현실(VR), 인공 지능(AI)을 포함한 기술의 발전은 팬 경험을 향상할 가능성이 있습니다. 몰입감 있는 경기장에서의 경험에서 상호작용적인 관람 선택사항에 이르기까지, 기술은 관중들을 사로잡는데 중요한 역할을 할 것입니다.

e스포츠와 게임: e스포츠(전자 스포츠)와 경쟁적인 게임의 인기는 계속해서 증가할 것으로 예상됩니다. e스포츠 대회는 온라인과 오프라인에서 대규모의 관중을 끌어 모으며, 그 산업은 투자, 후원, 그리고 주류의 수용이 증가할 것으로 보입니다.

스트리밍 서비스: 스포츠 콘텐츠를 위한 디지털 스트리밍 플랫폼으로의 전환은 계속될 것으로 보입니다. 더 많은 스포츠 리그와 조직들이 소비자에게 직접 스트리밍 모델을 제공하여 팬들에게 그들이 스포츠 콘텐츠를 소비하는 방법에 더 큰 유연성을 제공할 수 있습니다.

팬 참여: 스포츠 조직은 점점 더 실제 게임을 넘어 팬 참여를 강화하는 데 초점을 맞추고 있습니다. 여기에는 대화형 소셜 미디어 캠페인, 비하인드 콘텐츠 및 의사 결정 과정에 대한 팬 참여가 포함됩니다.

리그의 세계화: 주요 스포츠 리그들, 특히 북미와 유럽 리그들은 그들의 세계적인 범위를 넓히기를 기대하고 있습니다. 국제 경기들, 해외 경기들, 그리고 국제 선수들의 계약은 스포츠의 세계화에 기여하고 있습니다.

운동선수 권한 부여: 운동선수들은 그들의 개인 브랜드, 지지, 그리고 사회적 행동주의에 대해 더 많은 영향력과 통제력을 얻고 있습니다. 운동선수들은 스포츠와 사회적 대화 모두에 영향을 미치며, 사회적이고 정치적인 이유로 그들의 플랫폼을 계속 활용할 가능성이 있습니다.

스포츠 의학의 혁신: 스포츠 과학과 의학의 발전은 운동선수들의 경기력 향상, 부상 예방, 그리고 회복으로 이어질 것으로 예상됩니다. 웨어러블 기술과 데이터 분석은 훈련과 건강관리를 최적화하는 데 중요한 역할을 할 것입니다.

지속 가능성: 스포츠 산업은 경기장 건설, 경기 운영, 그리고 전반적인 운영에서 지속 가능한 관행에 초점을 맞추며 환경을 더 의식하고 있습니다. 녹색 계획과 친환경적인 관행이 중요성을 얻고 있습니다.

포괄성과 다양성: 스포츠 산업의 안팎에서 포괄성과 다양성에 대한 강조가 증가하고 있습니다. 성 평등, 인종 다양성, 접근성과 같은 문제들을 다루기 위한 노력은 계속될 것으로 보입니다.

팬데믹 이후의 도전과 기회: 코로나19 팬데믹은 스포츠 산업에 상당한 영향을 미쳐 스케줄, 팬 참석 및 수익원의 변화로 이어졌습니다.

3. 마치며

이상 스포츠로 돈을 벌 수 있을지와 돈을 벌고 있는 것은 무엇인지에 대해서 알아보았습니다. 그리고 앞으로 스포츠 산업에 대해서 알아보았습니다. 스포츠 산업은 다양하고 수입원은 스포츠의 인기, 경쟁 수준, 지리적 위치와 같은 요소에 따라 달라질 수 있습니다. 전반적으로, 방송 계약, 후원, 티켓 판매 및 상품의 조합은 전세계 많은 국가에서 스포츠를 상당한 경제력으로 만듭니다. 스포츠를 전공하고 연구하는 많은 사람들은 과거와 현재는 이야기하지만, 미래에 대해서는 이야기하지 않습니다. 그리고 스포츠와 돈에 대해서는 더더욱 이야기하지 않습니다. 그렇지만 자본주의 사회에서 돈은 불가분의 관계에 있습니다. 스포츠에서도 마찬가지입니다. 스포츠와 스포츠산업의 발전을 늘 응원합니다.

제 3장 미국에서 스포츠를 통해 돈을 버는 방법과 스포츠 직업의 연봉 순위

1. 미국에서 스포츠를 통해 돈을 버는 방법

미국에서 스포츠로 돈을 버는 것은 스포츠, 경쟁의 수준, 개인의 재능, 그리고 시장의 수요와 같은 요소들에 따라 매우 다양합니다. 여기에 개인이 잠재적으로 미국에서 스포츠로 돈을 버는 몇 가지 방법이 있습니다.

프로 운동선수 계약: 스포츠에서 돈을 버는 가장 직접적인 방법은 프로 운동선수가 되는 것입니다. 이것은 일반적으로 스포츠 팀과 계약을 맺고, 연봉을 받고, 성과에 따라 보너스를 받을 가능성이 있습니다.

지지와 후원: 성공적인 운동선수들은 자주 인기 있고 성공적인 개인들과 자신들을 맞추려는 브랜드들로부터 지지 계약과 후원을 확보합니다. 이러한 계약들은 수익성이 좋을 수 있고 운동선수의 수입에 상당히 기여할 수 있습니다.

상품화: 운동선수들은 자신의 이름, 로고, 또는 브랜드가 새겨진 상품을 판매하여 돈을 벌 수 있습니다. 이것은 의류, 장비, 그리고 다른 상품들을 포함할 수 있습니다.

미디어와 방송: 운동선수들은 스포츠와 관련된 쇼를 방송, 논평, 또는 진행하는 것과 같은 미디어에서 기회를 찾을 수 있습니다. 이

것은 추가적인 수입과 노출을 제공할 수 있습니다.

코칭 및 훈련: 은퇴한 운동선수 또는 전문적인 기술과 지식을 가진 사람들은 다양한 수준의 개인 또는 팀과 함께 일하면서 코치 또는 트레이너가 될 수 있습니다.

소셜 미디어와 콘텐츠 제작: 운동선수들은 소셜 미디어 플랫폼에서 그들의 인기를 이용하여 후원 게시물, 파트너십, 콘텐츠 제작을 통해 돈을 벌 수 있습니다. 브랜드는 그들의 제품이나 서비스를 홍보하기 위해 운동선수들에게 돈을 지불할 수 있습니다.

토너먼트와 경기: 토너먼트와 경기에서 우승하거나 높은 순위를 차지하면 상금과 가시성 증가로 이어질 수 있으며, 재정적인 이득을 얻을 수 있는 더 많은 기회를 끌어 올 수 있습니다.

선수 관리 및 대표: 어떤 사람들은 스포츠 에이전트나 관리자로 일하며, 계약 협상에서 선수들을 대표하고 그들이 보증 계약을 확보하는 것을 돕습니다.

이러한 기회들이 존재하지만, 스포츠 산업이 매우 경쟁적이라는 것에 주목하는 것이 중요합니다. 단지 적은 비율의 운동선수들만이 명성과 상당한 재정적인 성공을 이룹니다. 많은 운동선수들은 치열한 경쟁, 부상 위험, 그리고 상당한 헌신과 훈련의 필요성을 포함하여 도전에 직면합니다. 게다가, 스포츠에서의 성공은 종종 재능, 노력, 시기, 그리고 때로는 운의 조합을 요구합니다. 운동선수들은 복잡한 계약관계를 탐색하고, 그들의 재정을 현명하게 관리하고, 스포츠 산업 내에서 대안적인 진로를 고려할 필요가 있을 수 있습니다.

2. 미국에서 스포츠 직업의 연봉 순위

미국의 스포츠 직업 급여에 대한 구체적이고 최신의 순위를 가지고 있지 않습니다. 하지만, 스포츠 직업 급여가 어떻게 달라질 수 있는지에 대한 전반적인 개요를 제공하고자 합니다. 이 수치들은 대략적이며, 실제 급여는 경쟁 수준, 스포츠, 개인의 기술과 업적, 보증, 지리적 위치와 같은 요소에 따라 달라질 수 있다는 것을 기억하세요.

프로 운동선수: 프로 운동선수의 급여는 스포츠, 리그 그리고 경쟁 수준에 따라 매우 다양합니다. 주요 스포츠 리그 (예: NBA, NFL, MLB, NHL)의 최고 선수들은 수백만 달러의 급여를 받을 수 있는 반면, 인지도가 낮은 리그나 스포츠의 선수들은 상당히 낮은 급여를 받을 수 있습니다.

코치와 매니저: 코치와 매니저의 연봉은 경기 수준과 스포츠에 따라 달라질 수 있습니다. 메이저 리그에 있는 프로 팀의 수석 코치들은 보통 상당한 연봉을 받습니다. 대학과 고등학교 코치들은 더 적게 벌 수 있고 덜 유명한 스포츠나 낮은 수준의 코치들의 연봉은 매우 다양할 수 있습니다.

스포츠 에이전트: 스포츠 에이전트는 일반적으로 고객의 계약과 보증의 일부를 받습니다. 스포츠 에이전트의 수입은 그들이 대표하는 운동선수의 품질과 협상된 계약에 따라 달라질 수 있습니다.

스포츠 의학과 의료 전문가: 이 범주는 의사, 물리 치료사 그리고 운동선수들과 함께 일하는 다른 의료 전문가들을 포함합니다. 급여는 특정 직업, 경험 그리고 개인이 전문 팀에서 일하는지 혹은 개인적으로 일하는지에 따라 달라질 수 있습니다.

스포츠 미디어와 방송: 방송인, 분석가, 그리고 저널리스트를 포함한 스포츠 미디어에서 일하는 개인들의 급여는 다양할 수 있습니다. 유명한 스포츠 방송인들은 상당한 급여를 받을 수 있는 반면, 지역적이거나 덜 알려진 유명 인사들은 더 적게 받을 수 있습니다.

스포츠 마케팅과 홍보 전문가: 스포츠 마케팅과 홍보에서 일하는 사람들은 그들의 역할과 그들이 일하는 조직에 따라 월급을 받을 수 있습니다. 주요 스포츠 마케팅 회사의 임원이나 유명 운동선수들과 함께 일하는 사람들은 상당한 월급을 받을 수 있습니다.

스포츠 임원과 행정가: 스포츠 조직, 리그, 그리고 통치 기관에서 일하는 임원과 행정가들은 특히 지도자 자리에서 경쟁력 있는 월급을 받을 수 있습니다. 이것은 팀 임원, 리그 위원, 그리고 운동 감독과 같은 역할을 포함합니다.

스포츠 이벤트 관리: 이벤트 코디네이터 등 스포츠 이벤트를 조직하고 관리하는 데 관련된 개인은 처리하는 이벤트의 규모와 인지도에 따라 급여를 받을 수 있습니다.

스포츠 직종의 급여는 시간에 따라 변할 수 있으며, 위에서 언급한 수치는 일반화된 것이라는 점에 유의해야 합니다. 또한 선수들은 종종 홍보, 후원 및 기타 사업 활동을 통해 수입을 보충합니다.

3. 마치며

이상 스포츠천국이라고 할 수 있는 미국의 스포츠를 통해 어떻게 돈을 벌고 있는지와 어떠한 직업군이 연봉이 높은지에 대하여 간략하지만 전반적으로 알아보았습니다. 우리나라 또한 스포츠를 통해서 돈을 벌고 직업으로 사는 사람들이 많습니다. 스포츠 선진국인 미국의 스포츠 직업과 연봉, 그리고 돈을 버는 방법 등의 이해와 인식으로 우리나라에서 스포츠로 돈을 벌 수 있는지와 어떠한 직업이 가능한지에 대하여 고찰하고자 하였습니다.

제 4장 올림픽과 돈의 관계: 성공적인 대회를 위한 필수적인 자원

1. 올림픽과 돈

올림픽은 세계 각국의 우수한 선수들이 경쟁하는 국제 스포츠 대회로서, 매년 많은 관심을 받고 있습니다. 올림픽과 돈의 관계는 여러 측면에서 발생하며, 이는 경제적, 상업적, 그리고 사회적, 문화적, 역사적 등의 영향을 미칩니다. 아래는 올림픽과 돈의 주요 관계입니다.

1) 개최지 도시의 경제적 영향: 올림픽 개최는 개최 도시의 경제에 큰 영향을 미칩니다. 이는 인프라 개발, 시설 건설, 관광 증진 등을 통해 경제적 활동을 촉진합니다. 그러나 이에 따른 비용 부담과 투자 수익성에 관한 논의는 계속되고 있습니다.

2) 스폰서십과 광고 수익: 올림픽은 다양한 기업에게 스폰서십과 광고 수익을 제공합니다. 스폰서사는 대회와 관련된 제품 또는 브랜드를 홍보하기 위해 수백만 달러 이상을 지불하고 있습니다.

3) 방송 권리와 미디어 수익: 올림픽은 전 세계적으로 중계되는 큰 규모의 스포츠 이벤트로, 브로드캐스터들은 대회 중계 권리를 취득하기 위해 상당한 금액을 지불하며, 이는 수익 창출에 많이 기여하고 있습니다.

4) 티켓 매출과 입장료: 관중들은 올림픽 경기를 관람하기 위해

티켓을 구매하게 되며, 이로써 티켓 매출과 입장료 수익이 발생하게 됩니다.

5) 상품 판매와 라이선싱: 올림픽과 관련된 상품, 의류, 기념품 등은 대규모로 생산되어 수익을 창출하며, 이를 위해 라이선싱 계약을 통해 다양한 브랜드가 올림픽 로고 및 이미지를 이용할 수 있고, 수익을 창출할 수 있습니다.

6) 지역적인 경제적 향상: 올림픽은 개최 도시뿐만 아니라 주변 지역에도 경제적 향상을 가져올 수 있습니다. 관광 증진, 호텔 예약, 식당 매출 등이 증가하여 지역경제와 국가경제에도 좋은 영향을 줍니다.

7) 문화적, 사회적 영향: 올림픽은 문화적인 교류와 이해를 촉진하며, 국가 간의 협력과 친선을 도모하며, 이러한 가치는 정치, 경제, 문화적인 측면에서 다양한 영향을 미칩니다.

8) 환경 및 지속 가능성 고려: 최근 올림픽에서는 환경 및 지속 가능성에 대한 관심이 증가하고 있습니다. 개최 도시는 친환경적인 시설 건설 및 운영을 고려하며, 이는 환경 보호와 긍정적인 이미지 형성에 기여하고 있습니다.

이러한 올림픽과 돈의 관계는 경제 발전과 스포츠 산업 성장에 기여하면서도, 동시에 비용과 이익의 균형을 유지하는 것이 중요합니다. 올림픽 개최를 위한 투자가 경제적으로 이익을 가져오는지, 그리고 사회적, 문화적 가치를 얼마나 제공하는지는 논란의 여지가 있습니다.

2. 올림픽으로 얻을 수 있는 수익

올림픽은 대회 개최를 통해 다양한 수익을 얻을 수 있습니다. 먼저, 대회 기간 동안 많은 관광객이 방문하게 되면서 호텔, 식당, 상점 등 다양한 업종에서 매출이 증가합니다. 이는 지역 경제에 큰 기여를 하며, 관광 산업의 성장을 도모합니다. 또한, 대회 중계권 판매, 스폰서십, 광고 등을 통해 대회 개최자는 상당한 수익을 창출할 수 있습니다. 이는 대회 개최를 통해 투자한 자금의 회수와 더불어 추가적인 이익을 얻을 수 있는 장점을 가지고 있습니다. 그리고 유형적인 올림픽을 유산뿐만 아니라 무형적인 올림픽유산을 통해서 지속적으로 수익을 얻을 수 있습니다.

3. 결론

올림픽과 돈의 관계가 무엇인가에 대해서 알아보았는데 올림픽과 돈의 관계는 대회 개최를 위한 투자와 수익으로 이루어져 있습니다. 올림픽은 경제적인 활성화와 지역 발전을 위한 큰 기회를 제공합니다. 대회 개최자는 투자한 자금을 회수하고 추가적인 이익을 얻을 수 있습니다. 이를 통해 올림픽은 단순한 스포츠 대회에 그치지 않고 경제적인 가치를 창출하는 중요한 행사로 인정받고 있습니다. 그리고 올림픽은 문화적, 역사적이기도 합니다. 스포츠의 양적인 성장과 질적인 발전을 늘 응원합니다.

제 5장 체육인 연금제도: 혜택과 문제점

1. 체육인 연금제도의 개요와 목적

체육인 연금제도는 체육인들이 은퇴 후에도 안정적인 생활을 유지할 수 있도록 지원하는 제도입니다. 이 제도는 체육인들의 노후 생활을 보장하기 위해 연금을 지급하며, 일정한 조건을 충족한 체육인들에게 혜택을 제공합니다. 이를 통해 체육인들은 노후에도 안정적인 경제적 기반을 갖추고 있습니다.

2. 체육인 연금제도의 혜택과 긍정적인 측면

체육인 연금제도는 체육인들에게 다양한 혜택을 제공합니다. 첫째, 은퇴 후에도 일정한 수입을 받을 수 있어 경제적인 안정성을 확보할 수 있습니다. 둘째, 건강과 안녕한 노후를 위한 의료 혜택도 제공됩니다. 또한, 체육인들의 신체적인 특성을 고려하여 맞춤형 복지 프로그램을 제공하여 건강을 유지할 수 있도록 도와줍니다. 이러한 혜택은 체육인들의 노후 생활의 질을 향상하고, 사회적으로 그들의 공헌에 보답하는 역할을 하고 있습니다.

3. 체육인 연금제도의 문제점과 개선

방안체육인 연금제도에는 몇 가지 문제점이 존재합니다. 첫째, 연금 수급 기준이 명확하지 않아 공정성에 문제가 있을 수 있습니다. 또한 일반 국민들과 체육연금을 받지 못한 체육인들과 대다수의 사람들에게 공정성의 문제가 늘 존재합니다. 둘째, 연금 지급액이 충분하지 않아 생활비 부담이 크다는 문제가 있습니다. 또한, 연금 지급 시점이나 연금액 조정 등에 대한 적절한 대응이 이루어지지 않아 체육인들의 실질적인 필요를 충족시키지 못할 수 있습니다. 실제로 올림픽, 아시안게임, 세계선수권대회 등에서 획득한 대회 결과에 따라 점수를 부여받아 20점 이상부터 수령할 수 있으며, 월 최대 수령액은 백만 원입니다.

이러한 문제점을 해결하기 위해 체육인 연금제도에 대한 개선 방안이 필요합니다. 첫째, 연금 수급 기준을 명확히 하여 공정성을 확보해야 합니다. 체육인들 모두 국민연금처럼 따로 연금을 만들어 운영하는 것 또한 경기력향상연구연금이라는 특정 체육인들에게만 적용되는 것이 아닌 모든 체육인들에게 적용되는 체육인 연금을 운영 및 관리를 해야 합니다. 둘째, 연금 지급액을 적정 수준으로 조정하여 체육인들의 생활비 부담을 경감할 필요가 있습니다. 또한, 연금 지급 시점이나 연금액 조정에 대한 법과 정책적인 개선이 이루어져야 합니다. 이를 통해 체육인들의 노후 생활을 보다 안정적으로 지원할 수 있을 것입니다.

4. 결론

체육인 연금제도는 체육인들의 노후 생활을 보장하고 그들의 공헌을 보답하는 중요한 제도입니다. 혜택과 함께 일부 문제점이 존재하지만, 적절한 개선 방안을 통해 이를 보완할 수 있지만, 아직 현실은 충분한 논의 과정과 합의를 거치지 못했습니다. 따라서 우리 사회는 체육인 연금제도를 지속적으로 발전시키며, 체육인들이 안정적인 노후 생활을 영위할 수 있도록 노력해야 합니다.

제 6장 우리나라 스포츠마케팅: 현황과 전망

1. 스포츠마케팅의 개념과 중요성

스포츠마케팅은 스포츠와 마케팅의 결합으로, 스포츠 관련 제품, 서비스, 이벤트 등을 마케팅 전략을 통해 소비자에게 홍보하고 판매하는 활동입니다. 스포츠는 사람들에게 강한 감정과 로열티를 일으키는 특징을 가지고 있으며, 이를 효과적으로 활용하는 스포츠마케팅은 기업들에게 큰 경쟁 우위를 안겨줍니다. 스포츠마케팅은 브랜드 인지도 증가, 제품 판매 증대, 스포츠 이벤트 활성화 등 다양한 이점을 제공합니다.

2. 우리나라 스포츠마케팅의 현황과 성공 사례

우리나라는 스포츠 문화가 활발하며, 다양한 스포츠마케팅 사례가 있습니다. 예를 들어, 프로야구 리그인 KBO 리그는 다양한 마케팅 전략을 활용하여 팬들에게 색다른 경기 경험을 제공하고 있습니다. 또한, 한국 프로축구 리그인 K리그 역시 다양한 이벤트와 협찬을 통해 팬들의 관심과 참여를 유도하고 있습니다. 이러한 성공 사례들은 스포츠마케팅의 중요성과 효과를 입증하고 있습니다.

3. 우리나라 스포츠마케팅의 전망과 과제

우리나라 스포츠마케팅은 더욱 발전할 여지가 있습니다. 먼저, 디지털 마케팅과 소셜미디어를 적극적으로 활용하는 것이 중요합니다. 인터넷과 소셜미디어는 많은 사람들이 이용하는 플랫폼으로, 이를 통해 다양한 콘텐츠를 제공하고 팬들과 소통하는 것이 스포츠마케팅의 미래입니다. 또한, 다양한 스포츠마케팅 행사와 이벤트를 개최하여 팬들의 참여를 유도하고 스포츠 산업의 성장을 촉진해야 합니다. 스포츠를 좋아하는 예비 체육취업자들 중에는 스포츠마케팅 분야에서 취업을 하고 싶어 합니다. 그렇지만 현실적으로 스포츠마케팅 회사의 양적인 성장과 질적인 발전은 아직 미흡하다고 볼 수 있습니다. 스포츠마케팅의 전망은 갈수록 좋아지고 있지만, 스포츠 현장의 현실은 그리 좋지가 않은 것 또한 과제라고 볼 수 있습니다. 그리고 스포츠에이전트도 또한 스포츠 선진국처럼 스포츠 시장이 크지 않고 시스템이 되어 있지 않습니다. 이에 대한 과제들이 해결된다면 스포츠마케팅의 전망은 현재보다 더 밝게 될 것입니다.

4. 결론

우리나라 스포츠마케팅은 스포츠와 마케팅의 결합을 통해 다양한 이점과 성공 사례를 얻고 있습니다. 하지만 더 발전하기 위해서는 디지털 마케팅과 소셜미디어의 적극적인 활용, 다양한 행사와 이벤트의 개최 등이 필요합니다. 스포츠마케팅은 기업과 팬들 사이의 연결고리를 형성하며, 스포츠 산업의 성장과 발전에 기여하는 중요한 요소입니다.

제 7장 스포츠와 주식: 가치 증진과 수익 창출을 위한 두 가지 선택

스포츠와 주식의 공통점과 차이점이 있을까요? 스포츠와 주식은 우리 삶에서 중요한 역할을 하며, 가치 증진과 수익 창출을 위한 두 가지 선택지로 주목받고 있습니다. 스포츠는 건강과 즐거움을 제공하면서 동시에 사회적인 연대감과 경쟁의 즐거움을 선사합니다. 주식은 자본을 투자하여 금전적인 이익을 창출할 수 있는 똑똑한 방법 중 하나입니다.

1. 스포츠: 건강과 즐거움을 넘어서

스포츠는 우리의 건강을 증진시키고 삶의 질을 향상합니다. 꾸준한 운동은 심폐 기능을 강화하고 체중을 조절하여 건강한 신체를 유지하는 데 도움을 줍니다. 또한, 스포츠는 사회적인 연대감을 형성하고 친목을 도모하는 장으로서 사회적인 관계망을 넓히는 데에도 도움이 됩니다. 경쟁의 즐거움을 통해 자신의 한계를 극복하고 성취감을 느낄 수 있습니다.

2. 주식: 자본을 키우는 똑똑한 투자 방법

주식은 자본을 투자하여 재무적인 이익을 창출할 수 있는 방법입니다. 주식 시장은 기업의 성장과 발전을 지원하고 투자자에게 수익을 제공합니다. 투자자들은 기업의 잠재력과 경제 동향을 분석하여 투자 전략을 세우고, 주식을 매수 또는 매도함으로써 자본을 늘리는 기회를 얻을 수 있습니다. 주식 시장은 경제 활동을 촉진하고 개인과 기업의 재무적 안정성을 향상하는 역할을 합니다.

3. 스포츠와 주식의 공통점과 차이점

스포츠와 주식은 목표 달성을 위해 노력과 계획이 필요합니다. 스포츠에서는 꾸준한 훈련과 목표 설정이 필요하며, 주식에서는 신중한 분석과 투자 전략이 필요합니다. 두 가지 선택지는 높은 수준의 전문성과 지식을 요구하지만, 그 결과로 건강과 재무적인 이익을 얻을 수 있습니다.

4. 결론

스포츠와 주식은 우리의 삶에서 중요한 역할을 하며 가치 증진과 수익 창출을 위한 두 가지 선택입니다. 스포츠는 건강과 즐거움을 제공하면서 사회적인 연대감과 경쟁의 즐거움을 선사하며, 주식은 자본을 투자하여 금전적인 이익을 창출할 수 있는 똑똑한 투자 방법입니다. 어떤 선택을 하든, 목표를 향해 노력하고 계획을 세우는 것이 중요합니다. 스포츠와 주식은 우리의 삶을 더욱 풍요롭고 의미 있는 것으로 만들어 줄 수 있습니다.

제 8장 나이키의 탄생과 성장: 스포츠 산업을 혁신한 브랜드

1. 나이키의 창업과 초기 시기

나이키는 1964년에 빌 보워먼과 필 나이트에 의해 블루리본 스포츠(Blue Ribbon Sports)라는 이름으로 설립되었습니다. 초기에는 일본의 스포츠용품 제조업체인 아시아 타이거(Ashia Tiger)의 제품을 미국에서 수입하여 판매하는 사업을 시작했습니다. 그러나 1971년, 브랜드의 이름을 나이키(Nike)로 변경하고 자체 제품 생산에 착수했습니다.

2. 에어 조던과 슈퍼스타: 브랜드의 성장과 확장

1980년대에는 나이키가 마이클 조던과 협력하여 에어 조던 시리즈를 출시하면서 큰 성공을 거두었습니다. 마이클 조던의 대중적인 인기와 뛰어난 디자인이 결합된 에어 조던은 전 세계적으로 큰 인기를 얻었고, 나이키의 이미지를 높였습니다. 이후 나이키는 다양한 스포츠 슈즈와 의류 라인을 개발하며 세계적인 스포츠 브랜드로 성장하였습니다.

3. 혁신과 성공의 열쇠: 마케팅 전략과 기업 가치

나이키의 성공은 뛰어난 마케팅 전략과 혁신에 기인합니다. 나이키는 유명한 우승자들과 협력하여 제품을 개발하고 광고에 활용하는 전략을 채택했습니다. 또한, 스포츠에 대한 열정과 자유로운 이미지를 강조하는 광고 캠페인으로 소비자들의 관심과 사랑을 받았습니다. 이를 통해 나이키는 고객들에게 브랜드 로열티를 구축하고 지속적인 성장을 이뤄냈습니다. 또한, 나이키는 기업의 사회적 책임을 강조하며 지속 가능한 경영과 다양성, 인종 평등 등의 가치를 추구하고 있습니다.

4. 나이키와 다른 스포츠브랜드의 차이점

1) 운동화: 나이키는 다양한 운동화 라인을 보유하고 있습니다. 에어 조던(Air Jordan), 에어 맥스(Air Max), 블레이저(Blazer), 에어 포스 1(Air Force 1) 등의 인기 있는 운동화 라인이 있으며, 각각의 라인은 고유한 디자인과 기능을 가지고 있습니다.

2) 의류: 나이키는 운동할 때 편안하고 스타일리시한 의류를 제공합니다. 티셔츠, 후디, 운동복, 바지 등 다양한 종류의 의류를 제공하며, 각각의 제품은 기능성과 편안함을 강조한 디자인으로 유명합니다.

3) 액세서리: 나이키는 스포츠 액세서리 라인도 다양하게 보유하고 있습니다. 스포츠용 가방, 모자, 양말, 스웨트밴드, 손밴드 등의 액세서리를 제공하여 고객들의 운동 활동을 보조합니다.

4) 스포츠 장비: 나이키는 농구, 축구, 테니스, 골프 등 다양한 스포츠에 필요한 장비도 제공합니다. 예를 들어, 농구공, 축구공, 테니스 라켓 등의 스포츠용품을 제공하여 스포츠 활동을 더욱 즐겁게 할 수 있도록 돕습니다. 나이키는 지속적으로 제품 라인업을 확장하고 혁신을 추구하며, 고객들에게 다양한 선택지를 제공하고 있습니다.

5. 나이키 제품 중에서 가장 인기 있는 제품

1) 나이키 에어 조던(Nike Air Jordan): 마이클 조던과의 협업으로 탄생한 나이키 에어 조던은 역사적인 의미와 스타일로 유명합니다. 다양한 컬러와 디자인이 있어 팬들에게 큰 인기를 끌고 있습니다.

2) 나이키 에어 맥스(Nike Air Max): 나이키의 대표적인 운동화 라인인 에어 맥스는 고유한 에어쿠션 소재를 사용하여 편안한 착용감과 시각적인 매력을 제공합니다. 많은 사람들이 이 제품을 선호하고 있습니다.

3) 나이키 프리(Nike Free): 나이키 프리는 자연스러운 운동 경험을 제공하기 위해 설계된 경량 운동화입니다. 발과의 자연스러운 움직임을 돕고, 유연하고 편안한 착용감을 제공하여 많은 운동 애호가들에게 사랑받고 있습니다.

4) 나이키 테크 플리스(Nike Tech Fleece): 나이키의 테크 플리스는 경량의 보온 소재로 만들어진 의류 제품으로, 스포츠웨어와 패션을 결합한 스타일리시한 디자인과 편안한 착용감으로 인기를 얻고 있습니다. 이는 일부 나이키 제품 중에서 인기 있는 제품들의 예시일 뿐이며, 개인의 취향과 용도에 따라 선호하는 제품이 달라질 수 있습니다. 또한, 나이키는 지속적으로 다양한 제품을 출시하고 있으므로, 새로운 인기 제품이 나올 수도 있습니다.

6. 결론

나이키는 창업 이래로 스포츠 산업을 혁신하고 세계적으로 인정받는 브랜드로 성장하였습니다. 뛰어난 제품 디자인과 혁신적인 마케팅 전략을 바탕으로 나이키는 스포츠 패션의 선두주자로서의 지위를 굳건히 하고 있습니다. 앞으로도 나이키는 지속 가능한 경영과 혁신을 통해 더 나은 제품과 경험을 제공할 것으로 기대됩니다.

제 9장 지방체육 지원사업과 신청방법:
지역 스포츠발전을 위한 다양한 정책

1. 지방체육 지원사업의 필요성과 목표

지방체육 지원사업은 지역사회에서 스포츠 활동을 지원하고 발전시키기 위한 중요한 정책입니다. 이는 지역 주민들의 건강증진과 사회통합을 촉진하며, 더 나아가 우리나라의 스포츠 경쟁력 향상에도 기여합니다. 지방체육 지원사업의 목표는 지역스포츠 활성화, 체육시설 확충, 체육단체 지원 등을 통해 지방체육의 발전과 다양한 체육활동 참여율 증가를 추구하는 것입니다.

2. 주요 지방체육 지원사업의 종류와 내용

지방체육 지원사업에는 다양한 종류와 내용이 있습니다. 첫째, 체육시설 확충 사업은 체육시설의 부족으로 인한 문제를 해결하기 위해 지역에 체육시설을 증축하거나 개선하는 것을 목표로 합니다. 그리고 목적은 체육시설의 부족으로 인한 문제 해결 및 체육활동 활성화이며, 지역 내 체육시설의 증축, 개선 혹은 신설을 통해 체육시설 환경 개선이며, 체육관, 운동장, 체육센터 등의 시설 확충 및 개보수 사업 등입니다.

둘째, 체육단체 지원 사업은 지역 체육단체를 지원하여 체육활동을 다양화하고 전문성을 강화합니다. 목적은 지역 체육단체 지원을 통한 체육활동 다양화 및 전문성 강화이고, 지역 체육단체에 대한 재정적, 기술적, 인적 지원 등을 제공하며, 체육단체 운영비 지원, 전문 강사 양성 프로그램 운영, 체육단체 활동 지원 등입니다.

셋째, 체육행사 개최 지원 사업은 지역에서 다양한 규모의 체육행사를 개최하여 지역스포츠 활성화를 도모합니다. 목적은 다양한 규모의 체육행사를 통한 지역스포츠 활성화 및 홍보이며, 지역에서 체육행사 개최를 위한 재정, 인적, 홍보 등의 지원하고, 지역 체육대회, 체육축제, 체육페스티벌 등의 행사 개최 지원 등입니다.

3. 체육지원사업 신청방법

체육 지원사업을 신청하려면 일반적으로 아래의 절차를 따르게 됩니다. 하지만 지역이나 해당 지원사업의 운영 방식에 따라 상세한 절차는 다를 수 있으므로, 실제로 신청하고자 하는 지원사업의 안내나 해당 지자체의 체육정책을 참고하시는 것이 좋습니다.

1) 사전 조사: 해당 지원사업의 신청 자격, 신청 기간, 필요한 서류 등을 파악합니다. 관련된 지자체나 기관의 웹사이트, 공고문, 안내서 등을 확인하거나 문의할 수 있습니다.

2) 신청서 작성: 지원사업 신청서를 작성합니다. 개별 지원사업에 따라 온라인 신청 시스템을 사용하거나, 지원사업 운영 기관에서 제공하는 양식을 작성해야 할 수도 있습니다. 신청서에는 개인 또는 단체의 기본 정보, 신청 목적, 계획서 등이 포함될 수 있습니다.

3) 필요 서류 제출: 신청서와 함께 요구되는 필요 서류를 첨부하여 제출합니다. 주민등록증, 사업자등록증, 예산 계획서, 활동 계획서, 체육단체 운영 계획 등이 요구될 수 있습니다.

4) 심사 및 결과 통보: 제출된 신청서와 서류가 심사되며, 일정 기간 내에 신청 결과가 통보됩니다. 신청 결과는 지원 승인, 보류, 불허 등으로 나뉠 수 있으며, 해당 내용은 통보서로 안내됩니다.

5) 지원금 지급 및 사용: 지원 승인된 경우, 해당 지원사업에서 제공하는 지원금이 지정된 계좌로 지급됩니다. 지원금은 신청서에 명시한 목적에 따라 사용되어야 합니다. 사용 내역이나 보고서를 제출해야 할 수도 있습니다.

체육 지원사업 신청은 신중한 사전 조사와 정확한 신청서 작성, 필요 서류 제출이 중요합니다. 따라서 해당 지원사업의 안내를 자세히 확인하고, 필요한 서류와 절차를 준비하여 신청하시기 바랍니다.

4. 체육시설 관련 다양한 지원사업

1) 체육시설 보수 및 개선 지원: 기존 체육시설의 보수, 개선, 시설 장비의 업그레이드 등을 지원합니다. 예를 들어, 노후 체육시설의 보수 공사, 시설 안전성 강화 등이 해당될 수 있습니다.

2) 체육시설 임대료 지원: 체육단체나 지역 사회단체가 체육시설을 이용할 때 발생하는 임대료를 일부 또는 전액 지원해 줍니다. 이는 체육활동을 지속적으로 이어나갈 수 있도록 도움을 주는 사업입니다.

3) 체육시설 관리 및 운영 지원: 체육시설의 관리와 운영에 필요한 인력, 시설 유지보수, 운영비용 등을 지원합니다. 이는 체육시설의 효율적인 운영과 지속 가능성을 위해 중요한 지원사업입니다.

4) 체육시설 안전 교육 및 지원: 체육시설에서의 안전한 활동을

위해 안전 교육과 안전시설 설치 등을 지원합니다. 체육시설 사용자의 안전을 보장하고 사고 예방을 위한 사업입니다.

5) 체육시설 활용 프로그램 지원: 체육시설을 활용한 체육행사, 프로그램, 대회 등을 지원합니다. 지역 체육단체나 학교 등이 체육시설을 활용하여 다양한 체육 행사를 개최할 수 있도록 돕는 사업입니다. 위에서 언급한 것들은 일부 체육시설 관련 지원사업의 예시일 뿐이며, 실제로는 지자체 또는 관련 기관이 운영하는 다양한 프로그램과 사업이 존재할 수 있습니다. 따라서 체육시설 관련 지원사업을 찾고자 할 때는 해당 지역의 지자체나 관련 기관의 안내를 확인하시는 것이 가장 정확하고 신뢰할 수 있습니다.

5. 효과적인 지방체육 지원사업을 위한 방법과 고려사항

효과적인 지방체육 지원사업을 위해서는 몇 가지 방법과 고려사항이 있습니다. 첫째, 지역사회의 체육수요를 정확히 파악하고 그에 맞는 지원사업을 계획해야 합니다. 둘째, 협력과 협업을 통해 다른 지자체나 관련 기관과의 연계를 강화하여 지원사업의 효율성을 높여야 합니다. 셋째, 지방체육 지원사업의 결과를 체계적으로 평가하고 피드백을 통해 지속적으로 개선해야 합니다.

6. 결론

지방체육 지원사업은 그 중요성과 가치가 있으며, 우리나라의 지역스포츠 발전과 주민들의 건강증진을 위해 중요한 역할을 합니다. 다양한 정책과 사업을 통해 체육시설 확충, 체육단체 지원, 체육행사 개최 등을 실현하여 지방체육 활성화에 기여해야 합니다. 이를 위해 정확한 체육수요 파악과 협력적인 연계, 평가와 개선 등의 노

력이 필요합니다.

제 10장 스포츠관광과 지역경제 활성화:
새로운 가능성을 여는 유망한 분야

1. 스포츠관광의 개념과 중요성

스포츠관광이란 여행자들이 스포츠 활동을 즐기거나 관전하는 목적으로 지역을 방문하는 형태의 관광입니다. 최근 몇 년간 스포츠관광은 전 세계적으로 큰 인기를 얻고 있으며, 이는 지역경제에 많은 영향을 미치고 있습니다. 스포츠관광은 관광객의 수요를 증가시키고, 지역 내 호텔, 레스토랑, 교통 등 다양한 산업에 활기를 불어넣는 역할을 합니다.

2. 스포츠관광과 스포츠 종류

스포츠관광은 다양한 종류의 스포츠를 포함합니다. 주로 대규모 스포츠 이벤트와 관련된 관광 활동을 말하는데, 이는 다음과 같은 스포츠를 포함할 수 있습니다.

1) 프로페셔널 스포츠: 축구, 야구, 농구, 테니스, 골프 등과 같은 대중적인 프로스포츠 경기를 관람하는 것을 포함합니다. 이러한 경기는 대형 경기장에서 개최되며, 많은 관중들이 참여하여 관광객들에게 흥미로운 체험을 제공합니다.

2) 마라톤 및 트라이애슬론: 도시나 지역에서 개최되는 마라톤 경주나 트라이애슬론 대회는 많은 참가자들과 관광객들이 참여하는 인기 있는 스포츠 이벤트입니다.

3) 자연 스포츠: 등산, 서핑, 스노클링, 스카이다이빙 등과 같은 야외 활동을 포함합니다. 이러한 자연 스포츠는 관광객들에게 자연 경관을 감상하면서 스포츠를 즐길 수 있는 기회를 제공합니다.

4) 스포츠 투어 및 체험: 관광객들이 스포츠를 직접 체험하고 배울 수 있는 투어와 프로그램을 포함합니다. 예를 들어, 스포츠 캠프, 스포츠 아카데미, 스포츠 체험 투어 등이 있습니다.

5) 유명 스포츠 시설 관람: 유명한 스포츠 시설이 있는 도시나 지역을 방문하여 해당 시설을 관람하는 것을 포함합니다. 예를 들어, 축구 경기를 관람하기 위해 유명한 축구 경기장을 방문하는 것이 있습니다.

이 외에도 스포츠관광은 다양한 종류의 스포츠와 관련된 활동을 포괄하며, 관광객들에게 다양한 선택과 체험의 기회를 제공합니다.

3. 스포츠관광에서 가장 매력적인 스포츠 이벤트

스포츠 이벤트의 매력은 개인의 취향과 관심사에 따라 다를 수 있지만, 일반적으로 가장 매력적인 스포츠 이벤트 중 일부는 다음과 같습니다.

1) 올림픽: 올림픽은 세계에서 가장 규모가 크고 역사적인 스포츠 이벤트 중 하나입니다. 다양한 종목의 스포츠 경기를 한 자리에서 관람할 수 있으며, 세계 각국에서 온 우수한 선수들의 경기를 관람할 수 있습니다.

2) 월드컵: 축구 월드컵은 세계적으로 가장 인기 있는 스포츠 이벤트 중 하나입니다. 국가 대표팀들이 참가하여 열띤 경기를 펼치는데, 열기 넘치는 경기 분위기와 열정적인 응원을 경험할 수 있습

니다.

3) 그랜드슬램 테니스 토너먼트: 그랜드슬램 테니스 토너먼트인 윔블던, 롤랑가로스, 오스트레일리아 오픈, 미국 오픈은 세계적인 테니스 선수들이 모이는 대회로, 세계 최고의 테니스 경기를 관람할 수 있습니다.

4) F1 그랑프리: F1 그랑프리는 세계적인 자동차 경주 대회로, 고향마다 다른 서킷에서 열리며, 고속의 자동차 경주와 스릴 넘치는 경기를 관람할 수 있습니다.

5) 메이저 리그 베이스볼 월드시리즈: 메이저 리그 베이스볼 월드시리즈는 미국 메이저 리그에서 개최되는 야구 대회로, 최고의 야구 선수들이 모여 경기를 펼치는데, 역사적인 경기와 열띤 야구 분위기를 경험할 수 있습니다.

이 외에도 세계 각국에서 다양한 스포츠 이벤트가 개최되고 있으며, 개인적인 취향과 관심사에 따라 다른 매력을 가지고 있을 수 있습니다.

4. 스포츠관광을 즐길 수 있는 지역

스포츠 관광을 즐길 수 있는 지역은 전 세계적으로 다양합니다. 몇 가지 대표적인 지역을 소개해 드리겠습니다.

1) 유럽: 유럽은 다양한 스포츠 관광 명소를 제공합니다. 축구 경기를 관람하고자 한다면 영국의 프리미어 리그나 스페인의 라리가를 방문할 수 있습니다. 또한, 테니스 팬이라면 프랑스의 롤랑가로스나 영국의 윔블던을 방문하여 그랜드슬램 대회를 관람할 수 있습니다.

2) 미국: 미국은 다양한 스포츠 이벤트와 관광 명소를 제공합니다. 메이저 리그 베이스볼 경기를 관람하고자 한다면 미국의 다양한 도시에서 월드시리즈를 경험할 수 있습니다. 또한, NBA 농구 경기나 NFL 야구 경기 등 다양한 프로 스포츠 이벤트를 즐길 수 있습니다.

3) 동남아시아: 동남아시아 지역에서는 다양한 수상 스포츠를 즐길 수 있습니다. 태국의 무에타이 경기를 관람하거나 필리핀의 복싱 경기를 관람할 수 있습니다. 또한, 인도네시아의 발리에서 서핑이나 다이빙과 같은 수상 스포츠를 즐길 수도 있습니다.

4) 호주: 호주는 다양한 야외 스포츠와 관광 명소를 제공합니다. 호주에서는 크리켓 경기를 관람하거나, 호주 오픈 테니스 대회를 관람할 수 있습니다. 또한, 호주의 해안 지역에서 서핑, 요트 타기, 스노클링 등 다양한 수상 스포츠를 즐길 수 있습니다.

이 외에도 세계 각지에는 스포츠 관광을 즐길 수 있는 다양한 지역이 있습니다. 관심 있는 스포츠 종목이나 목적지에 따라 다양한 선택지를 고려해 보시면 좋을 것입니다.

5. 스포츠관광이 지역경제에 미치는 영향

스포츠관광은 지역경제에 다양한 긍정적인 영향을 미칩니다. 첫째, 관광객의 증가로 인해 지역 내 숙박업소와 식당 등의 수요가 크게 증가합니다. 이는 지역 내 기업들의 매출 증가와 일자리 창출에 이어집니다. 둘째, 스포츠관광은 지역의 관광지 개발과 인프라 구축을 촉진합니다. 관광객들은 스포츠 시설을 이용하기 위해 지역을 방문하므로, 이를 위한 시설과 인프라가 강화되어야 합니다. 이는 지역의 경제적인 활성화를 도모합니다.

6. 스포츠관광과 지역사회 협력의 중요성

스포츠관광의 성공은 지역사회와의 긴밀한 협력을 필요로 합니다. 지역사회는 관광객들에게 친절한 환영과 서비스를 제공해야 합니다. 또한, 지역사회와 스포츠 기관, 관광산업 간의 협력은 스포츠관광의 성공을 더욱 크게 만들어줍니다. 지역사회는 지역 특산품, 문화적인 행사 등을 활용하여 스포츠관광을 유혹하고, 관광객의 만족도를 높일 수 있습니다.

7. 결론

스포츠관광은 지역경제 활성화에 많은 잠재력을 가지고 있습니다. 관광객의 증가로 인해 발생하는 직접적인 경제적 이익 외에도, 스포츠관광은 지역의 브랜드 가치를 향상하고, 국제적인 인지도를 높이는 데 기여합니다. 이를 통해 장기적으로 지역경제의 성장과 발전을 촉진할 수 있습니다. 더불어, 스포츠관광은 지역 주민들에게 자긍심을 불어넣고, 지역사회의 단결력을 강화하는 중요한 역할을 합니다. 스포츠 이벤트를 통해 지역사회가 하나로 뭉치고, 지역 문화의 다양성과 특색을 전 세계에 알릴 수 있는 기회를 제공합니다.

제 11장 국제스포츠 일자리: 정보와 기회, 그리고 지원방법

1. 국제스포츠 산업의 성장과 일자리 창출

국제스포츠 산업은 급속한 성장세를 보이며, 이에 따라 다양한 일자리 기회가 생겨나고 있습니다. 국내·외 스포츠 대회 개최, 스포츠 관련 기업의 해외진출 등이 국제스포츠 일자리 창출에 큰 영향을 미치고 있습니다. 특히, 스포츠 마케팅, 이벤트 기획, 해외시장 개척 등 다양한 분야에서 일자리가 확대되고 있습니다.

2. 국제스포츠 일자리의 유형과 요구되는 역량

국제스포츠 일자리는 크게 세 가지 유형으로 나눌 수 있습니다. 첫째, 스포츠 경기 진행을 위한 코치와 선수들로 구성된 일자리입니다. 둘째, 스포츠 관련 기업에서의 경영, 마케팅, 영업 등의 업무를 담당하는 일자리입니다. 셋째, 국제스포츠 대회나 이벤트를 기획하고 운영하는 일자리입니다. 국제스포츠 일자리에는 다양한 역량이 요구됩니다. 전문적인 스포츠 지식과 기술은 물론, 영어와 다른 외국어 구사 능력, 커뮤니케이션과 리더십 능력, 국제적인 시각과 문화 이해력 등이 필요합니다. 또한, 국제적인 네트워크 구축과 글로벌 마인드셋이 요구되는 특징도 있습니다.

3. 국제스포츠 일자리를 위한 자격 요건

국제스포츠 일자리를 찾기 위해서는 일반적으로 다음과 같은 자격 요건이 필요할 수 있습니다.

1) 관련 학위 또는 교육: 스포츠 관리, 스포츠 마케팅, 스포츠 경영 등과 같은 관련 학위나 교육 과정을 이수한 경력이 도움이 됩니다. 이를 통해 스포츠 산업에 대한 기본적인 이해와 전문성을 갖출 수 있습니다.

2) 경험과 역량: 관련 분야에서의 경력과 실무 경험이 있으면 좋습니다. 스포츠 이벤트 조직, 마케팅 및 프로모션, 스포츠 팀 관리 등과 같은 경험이 있으면 국제스포츠 일자리에 유리할 수 있습니다. 또한, 커뮤니케이션, 리더십, 문제 해결 등의 역량도 중요합니다.

3) 언어 능력: 국제스포츠 산업에서는 다양한 국가와 문화와의 소통이 필요합니다. 따라서 영어를 비롯한 다른 언어에 능통하거나, 국제적인 커뮤니케이션 능력을 갖추는 것이 중요합니다.

4) 국제적인 업무 이해: 국제스포츠 일자리에서는 국제적인 규정, 비즈니스 모델, 문화적 차이 등을 이해해야 합니다. 국제 스포츠 기구나 국제 스포츠 이벤트에 대한 이해도가 필요하며, 국제적인 업무 환경에 적응할 수 있는 능력이 요구됩니다.

5) 네트워킹: 국제스포츠 산업은 네트워킹이 매우 중요한 역할을 합니다. 산업 내에서 인맥을 형성하고 유지하는 능력이 있으면, 일자리를 찾는 데 도움이 될 수 있습니다. 관련 컨퍼런스, 세미나, 이벤트 등에 참여하고, 소셜 미디어를 통해 연결되는 등의 노력을 기울이는 것이 좋습니다.

물론, 국제스포츠 일자리의 자격 요건은 해당 직무와 회사의 요구사항에 따라 다를 수 있습니다. 따라서 구체적인 일자리에 대한 정보를 확인하고, 그에 맞는 자격 요건을 준비하는 것이 중요합니다. 이를 위해 관련 분야의 채용 공고를 주시하고, 필요한 자격을 갖추기 위해 꾸준히 노력하시기 바랍니다.

4. 국제스포츠 관련 학과나 대학원 과정 이외에 다른 경로

국제스포츠 관련 일자리를 찾기 위해서는 학과나 대학원 과정 이외에도 다른 경로를 통해 준비할 수 있습니다. 몇 가지 대안적인 경로를 안내해 드리겠습니다.

1) 인턴십 및 현장 경험: 스포츠 산업에 관련된 인턴십이나 현장 경험을 쌓는 것은 매우 유용합니다. 스포츠 팀, 이벤트 조직, 마케팅 에이전시 등과 같은 조직에서 인턴으로 활동하거나, 프로젝트에 참여함으로써 실무적인 경험을 얻을 수 있습니다. 이를 통해 실제 업무 환경을 경험하고, 네트워킹 기회를 찾을 수 있습니다.

2) 자격증 취득: 스포츠 관리나 국제스포츠 분야에서 인정받는 자격증을 취득하는 것도 도움이 됩니다. 예를 들어, 스포츠 관리자 자격증이나 스포츠 마케팅 자격증 등을 취득하여 전문성을 강화할 수 있습니다. 이러한 자격증은 채용 과정에서 추가적인 가치를 제공할 수 있습니다.

3) 온라인 교육과 자기 학습: 인터넷을 통해 제공되는 온라인 교육 프로그램이나 자기 학습을 통해 스포츠 관련 지식과 역량을 향상할 수 있습니다. 온라인 강의, 웹사이트, 전문 서적 등을 활용하여 스포츠 산업에 대한 이해를 높이고, 필요한 스킬을 습득할 수 있습니다.

4) 스포츠 커뮤니티 참여: 스포츠 관련 커뮤니티나 동호회에 참여하여 지식과 경험을 공유하고, 소통할 수 있습니다. 오프라인이나 온라인에서 열리는 스포츠 행사, 세미나, 워크숍 등에 참석하여 전문가와 교류하고, 인맥을 형성할 수 있습니다. 이러한 다양한 경로를 통해 국제스포츠 산업에서 필요한 역량을 갖출 수 있습니다. 중요한 점은 꾸준한 노력과 열정을 가지고 자신에게 맞는 방법을 선택하고, 관련 분야에서 경험과 전문성을 쌓는 것입니다.

5. 국제스포츠 일자리 지원방법과 관련 제도

국제스포츠 일자리를 찾고자 한다면 다양한 지원방법을 알아야 합니다. 첫째, 관련 분야의 교육과 경력을 쌓는 것이 중요합니다. 스포츠 관련 학과나 대학원 과정을 이수하거나, 인턴십과 같은 실무 경험을 통해 전문성을 높일 수 있습니다. 둘째, 국제스포츠 기구나 기업의 공식 홈페이지, 전문 채용 사이트 등에서 채용 공고를 주기적으로 확인하는 것이 좋습니다. 셋째, 국제스포츠 관련 컨퍼런스나 세미나에 참여하여 네트워크를 확장하고 최신 업계 동향을 파악하는 것도 중요합니다. 또한, 국제스포츠 일자리를 위한 지원 과정에서는 포트폴리오 준비가 중요한 요소 중 하나입니다. 자신이 이룬 성과, 참여한 프로젝트, 관련 자격증 등을 포함하여 전문성을 입증할 수 있는 자료를 준비하는 것이 유리합니다.

이와 더불어, 면접 시 국제적인 커뮤니케이션 능력과 자신의 글로벌 역량을 효과적으로 어필할 수 있어야 합니다. 국제스포츠 일자리를 지원하는 과정에서는 관련 제도에 대한 이해도 필요합니다. 예를 들어, 해외에서 일하고자 할 경우 비자 신청 절차와 같은 국제적인 규정에 대해 알고 있어야 하며, 해당 국가의 문화와 업무 환경에 대한 사전 지식이 필요합니다. 이러한 준비와 노력을 통해 국제스포츠 분야에서의 경쟁력을 강화할 수 있습니다.

6. 결론

종합적으로, 국제스포츠 산업에서 일자리를 찾고 성공적으로 지원하기 위해서는 관련 분야의 교육과 실무 경험을 쌓는 것부터 시작하여, 적극적으로 정보를 수집하고 네트워크를 확장하는 것까지 다양한 전략이 필요합니다. 또한, 자신의 전문성을 입증할 수 있는 구체적인 준비와 국제적인 업무 환경에 대한 충분한 이해도 함께 요구됩니다. 이 모든 과정을 통해 국제스포츠 분야에서의 꿈을 실현할 수 있습니다.

제 12장 마라톤대회가 지역경제에 미치는 영향: 활성화의 새로운 전략

한국마라톤대회는 단순한 스포츠 이벤트를 넘어 지역경제 활성화에 중요한 역할을 하고 있습니다. 이 글에서는 마라톤대회가 지역경제에 미치는 긍정적인 영향과 이를 통한 지역경제 활성화 전략에 대해 알아보겠습니다.

1. 마라톤대회의 지역경제 기여도

1) 방문객 유치와 경제적 효과: 마라톤대회는 60,000명 이상의 방문객을 유치하며, 지역경제에 약 1200억 원의 경제적 효과를 창출했습니다. 이는 숙박, 식음료, 관광 등 다양한 분야에 걸쳐 지역경제를 활성화시키는 주요 요인이 되었습니다.

2) 스포츠 마케팅을 통한 지역경제 활성화: 군은 스포츠 마케팅을 통해 지역경제를 활성화하는 전략을 세우고, 가족 단위 참가자를 유치하기 위해 24개의 맞춤형 대회를 계획했습니다. 이는 지역자원과의 연계를 강화하고, 지역경제에 새로운 활력을 불어넣는 방안으로 평가받고 있습니다.

3) 경제적 파급효과: 뉴욕 마라톤의 경우, 경제적 파급효과가 9억 8200만 달러에 달하며, 최근 개최된 대회에는 27,000명의 참가자가 참여한 것으로 보고되었습니다. 이는 마라톤대회가 단순한 스포츠 이벤트를 넘어 지역경제에 큰 기여를 하는 사례로 볼 수

있습니다.

2. 마라톤대회의 지역사회 기여

1) 건강 증진과 스포츠 관광 촉진: 마라톤대회는 참가자들의 건강 증진은 물론, 스포츠 관광을 촉진하여 지역의 관광산업 발전에 기여하고 있습니다. 이를 통해 지역의 문화적 가치와 브랜드 이미지를 높이는 효과도 기대할 수 있습니다.

2) 다양한 연령대의 참여 증진: 마라톤대회는 다양한 연령대의 참여를 유도하고 있으며, 특히 활동적인 시니어들의 참여율을 높이기 위해 다양한 연령대별 상을 마련하는 등의 노력을 기울이고 있습니다. 이는 지역사회의 건강한 레저 문화 조성에 기여하고 있습니다.

3. 지역경제 활성화를 위한 전략 제안

1) 지역 자원과의 연계 강화: 마라톤대회를 통해 지역의 자연, 문화, 역사적 자원과 연계하여 참가자들에게 독특한 경험을 제공함으로써 지역경제 활성화에 기여할 수 있습니다.

2) 지속 가능한 이벤트 운영: 환경을 고려한 지속 가능한 이벤트 운영을 통해 지역사회와의 긍정적인 관계를 유지하고, 장기적인 관광 자원으로서의 가치를 높일 수 있습니다.

4. 마라톤대회의 예상치 못한 영향들

마라톤대회는 참가자들에게 긍정적인 건강 효과와 함께 지역경제에도 큰 기여를 하지만, 예상치 못한 다양한 영향을 미칠 수 있습니다.

1) 건강과 부상에 미치는 영향

(1) 부상 위험: 마라톤 준비 과정에서 무릎과 옆구리 통증과 같은 일반적인 문제는 사전에 대처할 수 있지만, 대회 도중 예상치 못한 문제가 발생하여 실패로 이어질 수 있습니다.

(2) 근육 피로: 마라톤 대회 후 많은 사람들이 근육 피로와 기타 영향으로 인해 완전히 지쳐버릴 수 있습니다. 너무 과하게 자신을 밀어붙이면 예상치 못한 부상을 입을 수 있습니다.

2) 사회적 및 심리적 영향

(1) 참가자의 동기와 만족도: 마라톤 참가자들은 건강 추구와 여가 목적을 우선시하며, 그들의 만족도는 체계적인 이벤트 운영, 시설 관리, 홍보 활동에 의해 영향을 받습니다. 이는 스포츠 이벤트를 지역 관광 산업과 연계하여 발전시키고 참가자 만족도를 높이는 방안을 모색하는 데 중요한 시사점을 제공합니다.

3) 장기적 건강 영향

(1) 무릎에 미치는 영향: 마라톤 후 실시한 스캔에서 러너의 무릎에 미치는 달리기의 영향에 대해 예상치 못한 결과가 나타났으며, 그 영향의 정도는 아직 알려지지 않았습니다. 마라톤대회는 참가자들에게 도전의 기회를 제공하고 지역사회에 긍정적인 경제적 영향을 미치지만, 부상 위험, 심리적 영향, 장기적 건강에 대한 영향 등 다양한 예상치 못한 영향을 고려해야 합니다.

5. 결론

마라톤대회는 지역경제에 긍정적인 영향을 미치며, 지역사회와의 상생을 통해 더 큰 가치를 창출할 수 있습니다. 지역경제 활성화를 위한 새로운 전략으로서 마라톤대회의 역할을 재조명해 보는 것은 어떨까요?

제 13장 스포츠 예능 프로그램의 부상: 엔터테인먼트 시장을 휩쓸다

스포츠 예능 프로그램은 최근 엔터테인먼트 시장에서 큰 인기를 끌고 있습니다. 다양한 스포츠 종목과 형식의 프로그램들이 등장하면서 시청자들의 관심을 끌고 있습니다. 이러한 인기의 배경에는 스포츠 스타들이 가진 매력과 엔터테인먼트적 가치, 그리고 시청자들과의 친밀한 소통이 자리 잡고 있습니다. 또한 스포츠 스타들의 미디어 친화성과 팀워크 정신도 이러한 프로그램의 성공에 기여하고 있습니다.

1. 스포츠 예능 프로그램의 다양성과 인기

스포츠 예능 프로그램은 다양한 스포츠 종목을 다루고 있습니다. 축구, 야구, 골프 등 전통적인 스포츠 종목뿐만 아니라 e스포츠, 격투기, 낚시 등 새로운 분야까지 포함하고 있습니다.

이러한 다양성은 시청자들의 관심을 끌어 모으는데 기여하고 있습니다. 이와 함께 스포츠 예능 프로그램은 높은 시청률을 기록하고 있습니다. 스포츠 중계 프로그램과 유사한 포맷을 가지고 있지만, 스포츠 스타들의 매력과 엔터테인먼트적 요소가 더해져 시청자들의 관심을 끌고 있습니다.

2. 스포츠 스타들의 활약과 팬덤 형성

스포츠 예능 프로그램의 인기는 스포츠 스타들의 활약과 밀접한 관련이 있습니다. 이들은 자신의 전문 분야에서 쌓은 경험과 명성을 바탕으로 프로그램에 출연하여 시청자들의 관심을 끌고 있습니다. 특히 김연경 선수의 투혼과 리더십은 여자 배구 국가대표팀의 4강 진출에 큰 역할을 했습니다.

이와 함께 스포츠 스타들의 미디어 친화성과 팀워크 정신도 프로그램의 성공에 기여하고 있습니다. 이들은 오랜 기간 스포츠 현장에서 활동하면서 미디어와의 소통 능력을 키워왔으며, 팀워크와 협력의 중요성을 잘 알고 있습니다. 이러한 특성은 프로그램 제작진과의 원활한 협업을 가능하게 하고, 시청자들과의 유대감을 형성하는 데 도움을 줍니다.

3. 스포츠 예능 프로그램의 성공 사례와 전망

대표적인 스포츠 예능 프로그램으로는 '뭉쳐야 찬다', '골 때리는 그녀들', '최강야구' 등이 있습니다. 이들 프로그램은 축구와 야구 등 대중적인 스포츠 종목을 다루면서 높은 시청률을 기록하고 있습니다. 특히 '뭉쳐야 찬다'의 경우, 2021년 첫 방송 이후 2023년 현재 2시즌까지 방송되며 평균 4% 이상의 시청률을 유지하고 있습니다.

이는 스포츠 예능 프로그램이 시청자들의 꾸준한 관심을 받고 있음을 보여줍니다. 이러한 성공 사례를 바탕으로 향후 스포츠 예능 프로그램의 전망은 밝다고 할 수 있습니다. 다양한 스포츠 종목과 새로운 포맷의 프로그램이 등장할 것으로 예상되며, 스포츠 스타들의 활약과 팬덤 형성이 지속될 것으로 보입니다.

4. 결론

스포츠 예능 프로그램은 엔터테인먼트 시장에서 큰 인기를 끌고 있습니다. 다양한 스포츠 종목과 형식의 프로그램이 등장하면서 시청자들의 관심을 끌고 있으며, 스포츠 스타들의 매력과 엔터테인먼트적 가치, 그리고 시청자들과의 친밀한 소통이 이러한 인기의 배경이 되고 있습니다.

특히 대표적인 프로그램들이 높은 시청률을 기록하며 성공을 거두고 있어, 향후 스포츠 예능 프로그램의 전망은 밝다고 할 수 있습니다. 다양한 스포츠 종목과 새로운 포맷의 프로그램이 등장할 것으로 예상되며, 스포츠 스타들의 활약과 팬덤 형성이 지속될 것으로 보입니다. 이를 통해 스포츠 예능 프로그램은 엔터테인먼트 시장에서 더욱 큰 영향력을 발휘할 것으로 기대됩니다.

제 14장 프로야구 중계 유료화, 야구팬들의 우려를 해소할 수 있을까?

프로야구 중계가 유료화 되면서 야구팬들의 걱정이 커지고 있습니다. 그동안 무료로 즐겨왔던 프로야구 경기를 이제는 돈을 내고 봐야 한다는 점에서 많은 이들이 불편함을 토로하고 있죠. 이에 따라 프로야구 중계 유료화에 대한 문제점과 전망을 자세히 살펴보겠습니다.

1. 프로야구 중계 유료화의 문제점

1) 보편적 시청권 침해 우려

프로야구 중계가 유료 OTT 플랫폼으로 이동하면서 '보편적 시청권' 침해 문제가 제기되고 있습니다. 그동안 지상파와 케이블 TV를 통해 무료로 시청할 수 있었던 프로야구 경기를 이제는 유료 구독을 해야만 볼 수 있게 된 것이죠. 이는 경제적 여건이 어려운 시청자들의 시청권을 제한할 수 있다는 우려를 낳고 있습니다.

2) 서비스 품질 저하에 대한 불만

프로야구 중계 유료화 초기에는 서비스 품질에 대한 불만이 컸습니다. 총 5경기 중 4경기의 케이블 TV 중계가 이전과 동일한 방식으로 재전송되어 구독자들의 실망을 샀죠.

3) 경제적 부담 증가

프로야구 중계 유료화로 인해 야구팬들의 경제적 부담이 증가하게 되었습니다. 기존에 케이블 TV와 인터넷 요금을 통해 프로야구 경기를 시청할 수 있었지만, 이제는 별도의 OTT 플랫폼 구독료를 지불해야 하는 상황이 되었죠. 최저 요금제가 월 5,500원으로 책정되어 경제적 여건이 어려운 팬들에게 부담이 될 수 있습니다.

2. 프로야구 중계 유료화의 전망

1) 유료화에 따른 수익 증대

프로야구 중계권 계약이 3년간 총 1,350억 원에 달하는 것으로 알려졌습니다. 이는 국내 프로스포츠 역사상 최대 규모의 계약이며, KBO 리그의 자립 기반 마련에 도움이 될 것으로 기대됩니다.

2) OTT 플랫폼의 스포츠 콘텐츠 경쟁 심화

OTT 시장이 성장하면서 스포츠 콘텐츠를 확보하기 위한 플랫폼 간 경쟁이 치열해질 것으로 보입니다. 이는 프로야구 중계권 가치 상승으로 이어질 수 있지만, 동시에 시청자들의 경제적 부담도 증가시킬 수 있습니다.

3) 무료 이용 기간 도입 검토

CJ ENM은 유료화로 인한 부담을 최소화하기 위해 무료 이용 기간을 고려 중인 것으로 알려졌습니다. 이를 통해 야구팬들의 반발을 완화하고 유료 전환을 유도할 수 있을 것으로 기대됩니다.

3. 결론

프로야구 중계 유료화는 KBO 리그의 자립 기반 마련에 도움이 될 것으로 보이지만, 동시에 야구팬들의 경제적 부담 증가와 보편적 시청권 침해 등의 문제점도 발생할 것으로 예상됩니다. 이에 따라 CJ ENM과 KBO는 유료화에 따른 부작용을 최소화하기 위해 노력해야 할 것입니다. 특히 무료 이용 기간 도입, 서비스 품질 개선 등의 방안을 통해 야구팬들의 우려를 해소할 필요가 있습니다.

제 15장 국가지원사업과 스포츠산업 육성 정책

우리나라 정부는 스포츠 산업 발전을 위해 다양한 정책을 추진하고 있습니다. 특히 2023년 2월에 열린 '2023 대한민국 스포츠 비전 보고회'에서 문화체육관광부는 스포츠 산업 육성 방향을 발표했습니다. 이에 따르면 정부는 2021년 약 64조 원 규모였던 국내 스포츠 산업을 2027년까지 100조 원 이상으로 성장시키는 것을 목표로 하고 있습니다.

이를 위해 정부는 기존 스포츠 기업 지원과 새로운 스포츠 스타트업 육성에 주력할 계획입니다. 구체적인 지원 방안으로는 스포츠 장비 시험 및 인증, 자금 지원, 일자리 창출, 전문 인력 양성 등이 포함됩니다.

1. 스포츠 산업 육성을 위한 정부 정책

정부는 스포츠 산업 육성을 위해 다양한 정책을 추진하고 있습니다. 우선 실내 스포츠 시설 관련 지원 사업을 강화하고, 산악 지역 확보 등 인프라 구축에 힘쓸 계획입니다. 또한 기존의 단편적인 지원 방식에서 벗어나 스포츠 산업 전반을 아우르는 지원 개념을 도입하고자 합니다. 이를 통해 스포츠 기업의 안정적인 사업 운영을 지원하고, 새로운 스포츠 스타트업 육성에도 힘쓸 예정입니다.

2. 스포츠 기본법 제정과 스포츠 권리 보장

정부는 2021년 8월 스포츠 기본법을 제정하여 스포츠의 가치와 지위를 높이고, 모든 국민의 스포츠 참여 기회를 보장하고자 했습니다. 이를 통해 스포츠의 다양성, 자율성, 민주성 등의 원칙을 실현하고자 합니다. 특히 이 법에서는 국민의 '스포츠 권리'를 최초로 명시하여, 국민 누구나 스포츠를 통해 행복을 누릴 수 있도록 하는 것을 목표로 하고 있습니다.

3. 스포츠정책과 국가경제의 관계

스포츠는 국가와 지역 경제에 다양한 방식으로 영향을 미칩니다. 스포츠 관광객들은 호텔, 음식, 교통 등 다양한 분야에서 소비를 이끌어내는 주요 소비자로 작용합니다. 과거 2002년 한일 월드컵과 2018 평창 동계 올림픽 등의 대규모 스포츠 이벤트는 스포츠 관광으로 인한 경제적 효과를 얻었습니다. 이로 인해 호텔, 레스토랑, 관광명소 등의 이용률이 크게 증가했습니다.

4. 스포츠 소비의 경제적 효과

스포츠 활동과 관련된 직접적인 지출, 예를 들어 참가비, 시설 이용료, 장비 구매 등은 경제 활성화에 기여합니다. 또한 스포츠 관람, 스포츠 용품 구매 등 간접적인 소비 지출도 경제 성장에 긍정적인 영향을 미칩니다. 이러한 스포츠 소비는 관련 산업의 매출 증대와 일자리 창출로 이어집니다.

5. 스포츠의 국가 이미지 제고 효과

스포츠는 정치, 경제 분야를 넘어 국가 이미지 제고에도 기여합니다. 특히 작은 국가의 경우 스포츠 분야에서의 성과가 국가 이미지 향상에 큰 영향을 미칠 수 있습니다. 이처럼 스포츠정책은 직간접적으로 국가경제에 긍정적인 영향을 미치며, 국가 이미지 제고에도 기여할 수 있습니다. 따라서 정부는 스포츠 산업 육성과 스포츠 인프라 구축에 지속적으로 투자할 필요가 있습니다.

6. 결론

정부는 국내 스포츠 산업 육성을 위해 다양한 정책을 추진하고 있습니다. 기존 기업 지원과 더불어 새로운 스포츠 스타트업 육성에 힘쓰고 있으며, 스포츠 기본법 제정을 통해 국민의 스포츠 권리를 보장하고자 합니다. 이러한 노력을 통해 국내 스포츠 산업이 지속적으로 성장할 것으로 기대됩니다.

제 3부 스포츠와 과학

스포츠와 과학 또한 서로 밀접하게 연관되어 있으며, 이 두 분야의 상호작용은 현대 사회에서 중요한 역할을 하고 있다. 스포츠는 인간의 신체적 능력을 극대화하는 활동이고, 과학은 이러한 신체적 활동을 이해하고 개선하기 위한 도구를 제공한다.

스포츠 과학은 운동 생리학, 생체역학, 스포츠 심리학, 영양학 등 다양한 학문 분야를 포함한다. 운동 생리학은 운동 중 신체의 생리적 반응을 연구하고, 이를 통해 더 효율적인 훈련 방법을 개발한다. 생체역학은 운동 중 신체의 움직임을 분석하여 최적의 운동 기술을 찾고 부상을 예방하는 데 도움을 준다. 스포츠 심리학은 선수의 정신적 상태와 퍼포먼스의 관계를 연구하며, 경기력 향상을 위한 멘탈 트레이닝 기법을 제시한다. 영양학은 운동선수의 식단과 영양 섭취가 경기력에 미치는 영향을 분석하여 최적의 영양 전략을 제공한다.

기술의 발전 또한 스포츠에 큰 영향을 미치고 있다. 예를 들어,

웨어러블 디바이스와 같은 첨단 기술은 선수의 운동 데이터를 실시간으로 수집하고 분석하여 맞춤형 훈련 프로그램을 제공한다. 또한, 비디오 분석 기술은 경기 중 선수들의 움직임을 세밀하게 분석하여 전략을 세우는 데 도움을 준다.

스포츠와 과학의 융합은 단순히 경기력 향상에 그치지 않고, 일반 대중의 건강 증진에도 기여하고 있다. 운동의 과학적 원리를 이해함으로써 우리는 더 건강한 생활 방식을 유지할 수 있으며, 이는 전반적인 삶의 질을 향상시킨다.

스포츠와 과학의 조화는 우리의 신체적, 정신적 건강을 증진시키고, 경기력 향상과 더불어 안전하고 효율적인 운동을 가능하게 한다. 이러한 통합적 접근은 앞으로도 스포츠와 과학이 함께 발전해 나가는 데 중요한 역할을 할 것이다. 이에 제3부에서는 스포츠와 과학에 대하여 글쓰기를 하였다.

제1장 스포츠와 과학: 협력의 결합으로 새로운 성과 창출하기

1. 스포츠와 과학의 상호작용

스포츠와 과학은 상호작용하며 발전해 온 분야입니다. 스포츠는 과학적인 원리와 데이터 분석을 활용하여 선수들의 능력을 최대한 발휘할 수 있도록 도와줍니다. 한편, 스포츠는 과학 연구에도 영감을 줄 수 있는 플랫폼이 됩니다. 선수들의 운동 생리학, 부상 예방 및 치료, 트레이닝 방법 등을 연구하는 과학자들은 스포츠 경기를 통해 새로운 통찰력과 데이터를 얻을 수 있습니다.

2. 과학 기술의 스포츠 적용

과학 기술은 스포츠 세계에서 혁신적인 변화를 가져왔습니다. 선수들의 퍼포먼스를 향상하기 위해 다양한 기술과 장비가 개발되었습니다. 예를 들어, 바이오메카닉스를 활용한 움직임 분석, 가속도계와 자이로스코프를 이용한 선수의 움직임 추적, 데이터 분석을 통한 전략 및 훈련 개선 등이 있습니다. 이러한 과학 기술의 적용은 선수들의 경기력 향상에 큰 도움을 주고 있으며, 스포츠 경기의 질을 높이는데 기여하고 있습니다.

3. 미래의 스포츠에서의 과학 기여

미래의 스포츠에서는 과학의 역할이 더욱 중요해질 것으로 예상됩니다. 인공지능, 가상현실, 로봇 기술 등의 발전으로 인해 스포

츠 경기의 형태와 환경이 변화할 것이며, 이에 따라 과학 기술의
적용 범위도 확대될 것입니다. 예를 들어, 선수들의 생체 신호를
실시간으로 모니터링 하여 피로도를 예측하고 훈련을 최적화하는
시스템, 가상현실을 활용한 훈련과 전략 시뮬레이션, 로봇 기술을
활용한 보조 도구 등이 미래의 스포츠에서의 과학 기여의 예시입
니다.

4. 결론

스포츠와 과학은 상호작용하며 발전해 온 분야로, 과학 기술의
적용은 스포츠 세계를 혁신하고 선수들의 경기력을 향상하는 역할
을 합니다. 미래의 스포츠에서는 과학의 역할이 더욱 중요해질 것
으로 예상되며, 인공지능, 가상현실, 로봇 기술 등의 발전을 통해
스포츠 경기의 혁신과 선수들의 퍼포먼스 향상이 이루어질 것입니
다. 스포츠와 과학의 협력은 새로운 성과를 창출하며, 우리의 스포
츠 경험을 더욱 풍요롭게 만들어줄 것입니다.

제2장 운동과 키: 효과적인 운동방법으로 키를 높이자

1. 운동이 키에 미치는 영향과 작용 메커니즘

운동은 우리의 건강과 체형에 많은 영향을 미치는데, 키에도 영향을 줄 수 있습니다. 키는 유전적인 요인이 크게 작용하지만, 운동은 우리의 자세와 체구를 개선하고 신체 발달에 도움을 줄 수 있습니다. 키를 높이기 위한 운동은 크게 신체 자세 개선 운동과 스트레칭 운동으로 나눌 수 있습니다. 즉, 운동은 올바른 자세와 척추 정렬을 돕고 시각적으로 키를 크게 보이게 할 수 있습니다. 실제로 키가 증가하는지에 대한 과학적인 증거는 제한적이며, 대부분의 연구는 체간 길이의 변화에 초점을 맞추고 있습니다. 이러한 연구들은 운동이 척추를 늘리는 데 도움을 줄 수 있다는 가능성을 제시하고 있습니다.

2. 신체 자세 개선 운동으로 키를 높이는 방법

신체 자세 개선 운동은 우리의 자세를 바로잡고 척추를 늘림으로써 키를 높이는 데 도움을 줍니다. 대표적인 운동으로는 스트레칭, 요가, 피트니스 등이 있습니다. 이러한 운동은 근육과 인대를 유연하게 만들어 척추의 압력을 줄여줍니다. 또한, 정자세를 유지하며 일상생활에서 올바른 자세를 유지하는 것도 키를 높이는 데 도움이 됩니다.

3. 스트레칭 운동으로 유연성을 키워 키를 높이는 방법

스트레칭 운동은 근육의 유연성을 향상해 척추를 늘리고 키를 높일 수 있는 효과가 있습니다. 특히 하체와 척추에 집중한 스트레칭 운동은 효과적입니다. 예를 들어, 다리 스트레칭, 허리 굽힘 운동, 플랭크 등을 실시하여 척추의 압력을 줄이고 신체의 균형을 개선할 수 있습니다.

4. 운동으로 키를 늘릴 수 있는 방법

운동으로 키를 직접적으로 늘리는 것은 어렵습니다. 키는 대부분 유전적인 요인에 의해 결정되기 때문입니다. 하지만, 운동을 통해 올바른 자세를 강화하고 척추를 늘리는 데 도움을 줄 수 있습니다. 이는 시각적으로 키를 더 크게 보이게 할 수 있습니다. 다음은 키를 더 크게 보이게 하는 운동 방법 몇 가지입니다.

1) 신체 자세 개선 운동: 스트레칭, 요가, 필라테스와 같은 운동은 척추를 늘리고 자세를 개선하는 데 도움을 줍니다. 이러한 운동은 근육과 인대를 유연하게 만들어 척추의 압력을 줄여주고, 시각적으로 키를 더 크게 보이게 할 수 있습니다.

2) 코어 운동: 코어 운동은 복부와 허리 근육을 강화하는 운동으로, 자세를 개선하고 척추를 지지하는 데 도움을 줍니다. 플랭크, 크런치, 다리 들어올리기 등의 운동을 실시하여 척추를 더욱 안정적으로 유지할 수 있습니다.

3) 스트레칭 운동: 하체와 척추에 집중한 스트레칭 운동은 근육의 유연성을 향상해 척추를 늘리고 키를 더 크게 보이게 할 수 있습니다. 예를 들어, 다리 스트레칭, 허리 굽힘 운동, 스쿼트 등을

실시하여 척추의 압력을 줄이고 신체의 균형을 개선할 수 있습니다. 또한, 운동 외에도 올바른 식습관과 충분한 수면을 유지하는 것이 중요합니다. 영양분을 충분히 섭취하고 충분한 휴식을 취하는 것은 신체 발달과 키에도 영향을 미칩니다. 종합적인 노력을 통해 건강하고 자신감 있는 삶을 즐길 수 있습니다.

5. 결론

운동은 우리의 건강과 체형에 긍정적인 영향을 미치는 동시에, 키에도 영향을 줄 수 있습니다. 신체 자세 개선 운동과 스트레칭 운동을 통해 키를 높이기 위한 노력을 할 수 있습니다. 하지만, 운동만으로 크게 키가 늘어나기는 어렵습니다. 키는 유전적인 요인이 큰 영향을 미치기 때문에, 운동과 함께 올바른 식습관과 충분한 수면을 유지하는 것이 중요합니다. 이러한 종합적인 노력을 통해 우리의 키를 최대한 발휘할 수 있으며, 건강하고 자신감 있는 삶을 즐길 수 있습니다.

제3장 스포츠와 노화 : 건강과 행복을 위한 활동의 중요성

1. 노화와 건강 상태의 관계

노화는 인간의 생물학적 과정으로서, 우리 몸의 기능이 점차적으로 감소하고 건강 문제가 발생할 수 있습니다. 그러나 스포츠와 활동적인 라이프스타일은 이러한 노화 과정을 늦추고 건강을 유지하는 데 도움이 됩니다. 물리적인 활동은 근육 강화, 유연성 향상, 심폐지구력 향상 등을 통해 우리 몸을 좋은 상태로 유지하는 데 도움을 줍니다.

2. 스포츠가 노화에 미치는 긍정적인 영향

스포츠는 우리 몸의 기능을 유지하고 향상하는 데 많은 도움을 줍니다. 꾸준한 운동은 심혈관 건강을 향상하고 심장 질환, 고혈압, 당뇨병 등의 발병 위험을 감소시킵니다. 또한 운동은 우리의 면역 체계를 강화하여 감염과 질병으로부터 보호해 줍니다. 스포츠는 또한 노화로 인한 근육 감소와 골다공증의 예방에도 효과적입니다.

3. 노화 과정에서 스포츠 활동의 중요성

노화는 우리의 삶에서 피할 수 없는 현실이지만, 스포츠와 활동은 노화 과정을 완화시키고 품질을 개선하는 데 도움을 줍니다. 노화로 인한 신체적, 정신적 변화를 줄이고 우리의 삶의 질을 향상하기 위해서는 꾸준한 운동이 필요합니다. 스포츠는 우리에게 몸과 마음의 활력을 주며, 사회적인 교류와 연결을 도모하는 플랫폼을 제공합니다.

4. 노화를 예방을 위한 스포츠

스포츠는 건강과 노화에 많은 영향을 줄 수 있습니다. 일반적으로 어떤 종류의 스포츠가 노화에 가장 효과적인지에 대해서는 다양한 연구와 의견이 있습니다. 하지만 아래에 몇 가지 노화에 대한 긍정적인 영향을 가지는 스포츠 종목을 소개해 드리겠습니다.

1) 유산소 운동: 걷기, 달리기, 수영 등 유산소 운동은 심혈관 기능을 강화하고 체력을 향상하는 데 도움을 줄 수 있습니다. 이는 노화 과정을 늦추는 데 도움이 될 수 있습니다.

2) 저항 운동: 저항 운동은 근육을 강화하고 골밀도를 향상시키는 데 도움을 줄 수 있습니다. 이는 노화로 인한 근력 감소와 골다공증을 예방하는 데 도움이 될 수 있습니다. 예를 들어, 웨이트 트레이닝, 필라테스, 요가 등이 저항 운동에 속합니다.

3) 균형 운동: 균형 운동은 신체의 균형을 개선하고 근육 조절을 돕는 데 도움을 줄 수 있습니다. 이는 낙상 및 부상의 위험을 줄이고 일상생활의 기능성을 향상하는 데 도움이 될 수 있습니다. 플라잉 요가, 필라테스 등이 균형 운동에 속합니다. 위의 종목들은 일반적으로 노화에 긍정적인 영향을 줄 수 있는 스포츠 종목입니다.

그러나 개인의 신체 상태, 선호도, 건강 상태 등을 고려하여 적절한 스포츠 종목을 선택하는 것이 중요합니다. 의료진이나 운동 전문가와 상담하여 개인 맞춤형 운동 프로그램을 수립하는 것이 좋습니다.

5. 스포츠를 통한 노화예방

스포츠를 통해 노화를 어떻게 예방할 수 있는지에 대해 알려드리겠습니다. 스포츠는 다양한 방법으로 노화를 예방하고 건강을 촉진할 수 있습니다. 아래에 몇 가지 주요한 방법을 안내해 드리겠습니다.

1) 신체적인 건강 유지: 스포츠는 신체적인 건강을 유지하는 데 도움을 줄 수 있습니다. 규칙적인 운동을 통해 심혈관 기능을 강화하고 근력을 유지하며 유연성을 향상할 수 있습니다. 이는 노화로 인한 근력 감소, 심혈관 질환 및 관절 문제 등을 예방하는 데 도움이 됩니다.

2) 인지 기능 향상: 일부 연구에 따르면, 스포츠는 인지 기능을 향상하는 데 도움을 줄 수 있습니다. 운동은 두뇌에 산소와 영양을 공급하고 신경 세포의 형성을 촉진하여 인지 능력을 향상할 수 있습니다. 예를 들어, 노화로 인한 인지 기능 저하를 예방하기 위해 정기적인 운동을 추천할 수 있습니다.

3) 스트레스 관리: 스포츠는 스트레스 관리에도 도움을 줄 수 있습니다. 운동은 신체에 염증을 줄이고 신체적, 정신적 스트레스를 해소하는 데 도움이 됩니다. 스포츠를 통해 긍정적인 에너지를 발산하고 스트레스를 해소할 수 있으며, 이는 노화 과정에서 발생할 수 있는 정신적인 부담을 완화하는 데 도움이 됩니다.

4) 사회적 연결과 활동: 스포츠는 사회적인 연결과 활동을 촉진

하는 효과도 있습니다. 팀 스포츠나 그룹 활동을 통해 사회적인 관계를 형성하고 유지할 수 있으며, 이는 정신적인 건강과 행복감을 증진시키는 데 도움이 됩니다.

6. 결론

스포츠와 노화는 밀접한 관련이 있습니다. 스포츠는 우리의 건강과 행복을 위한 필수적인 요소로서, 노화 과정을 늦추고 건강을 유지하는 데 큰 도움을 줍니다. 꾸준한 운동을 통해 우리의 신체적, 정신적 건강을 케어하고, 노화로부터 오는 부정적인 영향을 최소화할 수 있습니다. 따라서 우리는 스포츠와 활동을 적극적으로 참여하여 건강하고 행복한 노후를 보낼 수 있도록 노력해야 합니다.

제4장 놀이치료와 스포츠: 건강과 행복을 위한 효과적인 방법

1. 놀이치료: 마음과 몸을 치유하는 놀이

놀이치료와 스포츠는 우리의 건강과 행복에 많은 영향을 미치는 활동입니다. 놀이치료는 마음과 몸의 치유를 위한 특별한 형태의 치료입니다. 다양한 놀이와 상호작용을 통해 개인의 정서적, 인지적, 사회적 발달을 촉진하고 스트레스를 완화하는데 도움을 줍니다. 또한, 놀이치료는 자아존중감을 향상하고 문제 해결 능력을 강화하는 데에도 큰 도움이 됩니다.

2. 스포츠: 운동과 경기로 건강을 즐기다

스포츠는 운동과 경기를 통해 건강을 유지하고 즐기는 활동입니다. 운동은 신체적인 건강을 촉진하며, 근육을 강화하고 유연성을 향상합니다. 또한, 스포츠를 통해 친구들과의 소통과 협력, 경쟁을 경험하며 사회적인 관계를 발전시킬 수 있습니다. 스포츠는 또한 스트레스 해소와 긍정적인 자아 이미지 형성에도 도움을 줍니다.

3. 놀이치료와 스포츠의 상호작용: 심리적인 효과와 사회적인 가치

놀이치료와 스포츠는 서로 상호작용하며 효과를 극대화할 수 있습니다. 놀이치료는 스포츠를 통해 개인의 자아실현과 자기표현을 도울 수 있습니다. 또한, 스포츠는 놀이치료를 통해 개인의 감정

조절과 사회적 기술을 향상할 수 있습니다. 이러한 상호작용은 개인의 심리적인 효과뿐만 아니라 사회적인 가치를 증진시키는 데에도 중요한 역할을 합니다.

4. 놀이치료와 스포츠를 이용한 치료 효과

1) 놀이치료의 효과

(1) 정서적 치유: 놀이치료는 놀이와 상호작용을 통해 개인의 감정을 표현하고 처리하는 과정을 돕습니다. 이를 통해 스트레스, 불안, 우울 등의 정서적인 어려움을 극복하고 치유할 수 있습니다.

(2) 인지적 발달: 놀이치료는 상상력, 문제 해결 능력, 집중력 등 인지적인 측면을 촉진시킵니다. 다양한 놀이 활동을 통해 개인의 인지 능력을 향상하고 창의적 사고를 유발할 수 있습니다.

(3) 사회적 기술: 놀이치료는 상호작용과 협력을 통해 소통과 사회적 기술을 개발하는 데 도움을 줍니다. 그룹 놀이를 통해 친구나 가족과의 관계를 발전시키고 사회적 역할을 배우는데 도움을 줍니다.

2) 스포츠 치료의 효과

(1) 신체적 건강: 스포츠를 통해 운동을 즐기는 것은 신체적인 건강을 촉진시킵니다. 근육을 강화하고 유연성을 향상하며, 심혈관 기능을 향상하는 등 다양한 신체적 이점을 얻을 수 있습니다.

(2) 심리적 안정: 스포츠는 운동을 통해 스트레스를 해소하고 긍정적인 기분을 유발하는데 도움을 줍니다. 운동은 엔도르핀 분비를 촉진시켜 기분을 개선시키고 스트레스를 완화하는 효과를 가지고 있습니다.

(3) 사회적 상호작용: 스포츠는 경기와 팀 활동을 통해 사회적 상호작용을 촉진시킵니다. 친구나 동료와의 협력과 경쟁을 통해 사회적인 관계를 발전시키고 소통 능력을 향상할 수 있습니다.

놀이치료와 스포츠를 통한 치료는 개인의 심리적, 인지적, 신체적, 사회적 측면에서 다양한 효과가 있을 수 있습니다. 이를 통해 개인은 자신의 감정을 표현하고 치유하며, 신체적인 건강을 증진시키고 사회적 관계를 발전시킬 수 있습니다. 따라서 놀이치료와 스포츠를 통한 치료는 종합적인 접근법을 통해 개인의 전반적인 발달과 행복을 촉진시키는 효과가 있습니다.

5. 놀이치료와 스포츠를 이용을 통한 다양한 효과

놀이치료와 스포츠를 이용한 치료는 다양한 경우에 효과적일 수 있습니다. 여기에는 몇 가지 예시가 있습니다.

1) 정서적 문제: 놀이치료와 스포츠는 정서적인 어려움을 겪는 개인에게 도움을 줄 수 있습니다. 예를 들어, 불안, 우울, 스트레스 등의 정서적인 문제를 해결하고 싶을 때, 놀이치료와 스포츠를 통해 감정을 표현하고 조절하는 방법을 배울 수 있습니다.

2) 인지적 발달: 놀이치료와 스포츠는 인지적 발달에 도움을 줄 수 있습니다. 특히 어린이나 발달 장애를 가진 개인들에게 유용합니다. 놀이와 스포츠를 통해 상상력, 문제 해결 능력, 집중력 등을 향상할 수 있으며, 인지적인 발달을 촉진시킬 수 있습니다.

3) 신체적 건강 문제: 스포츠는 신체적인 건강 문제를 가진 개인들에게 효과적일 수 있습니다. 예를 들어, 근육 조절 장애, 신체적인 장애, 비만 등의 문제를 가진 개인들은 스포츠를 통해 운동을

즐기고 신체적인 능력을 향상할 수 있습니다.

4) 사회적 기술 및 관계 문제: 놀이치료와 스포츠는 사회적 기술 및 관계 문제를 가진 개인들에게 도움을 줄 수 있습니다. 예를 들어, 소통 장애, 사회적인 관계의 어려움, 교류의 부족 등의 문제를 가진 개인들은 놀이치료와 스포츠를 통해 상호작용과 협력을 배우고 사회적인 관계를 발전시킬 수 있습니다.

놀이치료와 스포츠를 이용한 치료는 많은 경우에 효과적일 수 있으며, 개인의 상황과 필요에 따라 다양한 방식으로 적용될 수 있습니다. 치료의 목적과 개인의 요구에 맞게 적절한 방법을 선택하는 것이 중요합니다. 전문가와 상담하여 개인에게 가장 적합한 치료 계획을 수립하는 것이 좋습니다.

6. 결론

놀이치료와 스포츠는 우리의 건강과 행복을 위해 매우 효과적인 방법입니다. 놀이치료는 마음과 몸을 치유하고 개인의 성장을 도모하는 데 도움을 주며, 스포츠는 운동과 경기를 통해 건강을 유지하고 사회적인 관계를 발전시킵니다. 이 두 가지를 상호작용 시키면 개인의 심리적인 효과와 사회적인 가치를 극대화할 수 있습니다. 따라서 놀이치료와 스포츠를 적극적으로 참여하여 우리의 삶에 행복과 건강을 더해나가는 것이 중요합니다.

제5장 운동과 다이어트: 건강한 삶을 위한 필수 요소

운동과 다이어트는 건강한 삶을 위해 필수적인 요소입니다. 이 글에서는 운동과 다이어트의 중요성, 효과, 핵심 원칙, 그리고 최상의 결과를 얻기 위한 비밀에 대해 알아보겠습니다. 현재 우리나라 건강정책은 보건복지부에서 실시하고 있으며, 비만 또한 중요한 정책이 되고 있습니다.

1. 운동의 중요성과 효과

운동은 우리의 신체와 정신 건강에 많은 이점을 제공합니다. 운동은 체중 감량과 근력 향상을 도와주며, 심혈관 건강을 증진시키고 면역 체계를 강화시킵니다. 또한 운동은 스트레스 해소와 우울증 완화에도 도움을 줍니다. 주 3-5회의 꾸준한 운동은 건강한 삶을 유지하는 데 큰 역할을 합니다. 운동의 중요성과 효과와 마찬가지로 운동을 하기 위해서는 컨디션 관리도 매우 중요합니다.

 2. 다이어트의 핵심 원칙과 팁

다이어트는 올바른 식단과 식습관을 통해 체중을 감량하는 과정입니다. 다이어트를 성공적으로 수행하기 위해서는 몇 가지 핵심 원칙을 따라야 합니다. 첫째, 균형 잡힌 식단을 유지해야 합니다. 채소, 과일, 단백질, 그리고 건강한 지방을 포함한 식단이 중요합니다. 둘째, 적절한 포션 컨트롤이 필요합니다. 너무 많이 먹지 않고, 자신의 식사량을 조절하는 것이 중요합니다. 마지막으로, 물을 충분히 섭취하고, 과자와 음료수 같은 고칼로리 음식을 피해야 합니다.

3. 운동과 다이어트의 결합

최상의 결과를 위한 비밀 운동과 다이어트는 상호 보완적인 관계를 가지고 있습니다. 운동은 체중 감량을 더욱 가속화시키고 근력을 향상합니다. 또한, 운동은 신진대사를 촉진시켜 체중 유지를 도와줍니다. 다이어트와 운동을 결합하여 신체 변화와 건강 개선을 동시에 이루어낼 수 있습니다. 운동 전후에 올바른 식단을 섭취하고, 꾸준한 운동 습관을 형성하는 것이 중요합니다.

4. 운동과 다이어트의 현재 트렌드와 미래 전망

현재 운동과 다이어트에 대한 관심은 매우 높아지고 있습니다. 사회적인 영향과 개인의 건강관리에 대한 증가된 관심으로 인해 많은 사람들이 운동과 다이어트를 적극적으로 추구하고 있습니다.

1) 현재 트렌드

(1) 개인 맞춤형 피트니스: 많은 사람들이 자신에게 맞는 운동 계획과 식단을 찾기 위해 피트니스 전문가나 앱, 온라인 플랫폼을 활용하고 있습니다. 맞춤형 운동 프로그램과 식단은 개인의 목표와 요구에 맞게 설계되어 효과적인 결과를 도출할 수 있습니다.

(2) 하이인텐시티 인터벌 트레이닝(HIIT): HIIT는 짧은 시간 동안 고강도 운동과 휴식을 번갈아가며 수행하는 운동 방식으로, 대량의 칼로리를 태우고 근력과 유산소 체력을 향상하는 데 매우 효과적입니다.

(3) 건강과 행복을 중시하는 다이어트: 단순히 체중 감량이 아닌 건강과 행복을 추구하는 다이어트 트렌드가 강조되고 있습니다. 균형 잡힌 식단과 식습관, 신체와 정신 건강을 동시에 고려하는 다이어트 방법이 주목받고 있습니다.

2) 미래 전망

(1) 디지털 피트니스: 온라인 플랫폼과 앱을 통한 디지털 피트니스가 더욱 발전할 것으로 예상됩니다. 개인 맞춤형 운동 계획, 식단 관리, 실시간 피드백 등을 제공하는 디지털 플랫폼은 편리함과 접근성을 높여 많은 사람들이 활용할 것입니다.

(2) 종합적인 건강관리: 운동과 다이어트뿐만 아니라 수면, 스트레스 관리, 정신 건강 등 종합적인 건강관리가 강조될 것으로 예상됩니다. 건강한 삶을 위해 다양한 요소들을 종합적으로 고려하는 트렌드가 더욱 두드러지게 될 것입니다.

(3) 사회적인 영향력: 운동과 다이어트는 개인의 건강뿐만 아니라 사회적인 영향력을 가질 것으로 예상됩니다. 지속 가능한 식단, 환경 보호를 고려한 운동 방식 등 사회적인 이슈와 연계된 운동과 다이어트가 더욱 중요시되며, 사회적으로 긍정적인 변화를 이끌어 낼 것입니다. 운동과 다이어트의 트렌드는 끊임없이 변화하고 진화하고 있습니다. 따라서 개인은 최신 동향을 주시하고, 신뢰할 수 있는 정보와 전문가의 조언을 참고하여 자신에게 맞는 운동과 다이어트 방식을 선택하는 것이 중요합니다.

5. 운동과 다이어트에 관한 혁신과 미래

미래에는 운동과 다이어트를 더욱 혁신적으로 개선할 수 있는 다양한 방법들이 있을 것으로 예상됩니다. 몇 가지 가능성 있는 아이디어를 제시해 드리겠습니다.

1) 가상현실(VR)을 활용한 운동: 가상현실 기술은 운동 경험을 혁신적으로 변화시킬 수 있는 잠재력을 가지고 있습니다. 가상현실을 이용하여 사람들은 실제로 존재하지 않는 환경에서도 다양한 운동을 즐길 수 있게 될 것입니다. 예를 들어, 가상 세계에서의 모험적인 러닝 경험이나 가상 트레이너와의 실시간 인터랙션 등이 가능해질 것으로 기대됩니다.

2) 개인 맞춤형 운동 및 식단 프로그램: 개인의 유전자 정보, 신체 상태, 식습관 등을 고려한 맞춤형 운동 및 식단 프로그램이 더욱 발전할 것입니다. 현재는 몇 가지 요인을 고려하여 개인에게 맞는 프로그램을 제공하는 경우가 있지만, 미래에는 더욱 정교한 데이터 분석과 인공지능 기술을 활용하여 개인에게 최적화된 운동과 식단을 제공할 수 있을 것입니다.

3) 생체 센서 및 웨어러블 기기의 발전: 생체 센서 기술과 웨어러블 기기의 발전으로 운동과 다이어트의 효과를 실시간으로 모니터링하고 분석하는 것이 가능해질 것입니다. 심박수, 호흡, 근전도 등의 생체 데이터를 실시간으로 측정하고, 이를 통해 운동의 효과를 평가하고 개선할 수 있을 것입니다. 이러한 기술은 개인의 운동 동기부여와 목표 달성을 도와줄 것입니다.

4) 인공지능 기반 운동 코칭: 미래에는 더욱 발전한 인공지능 기술을 이용하여 개인에게 맞춤형 운동 코칭을 제공할 수 있을 것입니다. 인공지능은 개인의 운동 기록, 목표, 신체 상태 등을 분석하

여 최적의 운동 계획을 제시하고, 운동 동작의 정확성을 평가하고 피드백을 제공할 수 있을 것입니다. 이를 통해 개인의 운동 효과를 극대화할 수 있을 것입니다. 미래에는 기술의 발전과 더불어 운동과 다이어트 분야도 지속적으로 혁신되어 갈 것으로 예상됩니다. 이러한 혁신은 개인들이 더욱 효과적이고 즐거운 운동과 다이어트 경험을 할 수 있게 도와줄 것입니다.

6. 결론

운동과 다이어트는 건강한 삶을 위한 필수 요소입니다. 운동은 우리의 신체와 정신 건강에 많은 이점을 제공하며, 다이어트는 올바른 식단과 식습관을 통해 체중을 감량하는 과정입니다. 두 가지를 결합하여 최상의 결과를 얻을 수 있습니다. 꾸준한 노력과 올바른 지침을 따르면 건강한 삶을 즐기며 목표 체중을 달성할 수 있습니다.

제6장 고혈압과 운동: 건강한 혈압을 유지하기 위한 최적의 방법

1. 고혈압이란 무엇인가?

고혈압은 혈압이 정상 범위를 벗어나 상승하는 상태를 의미합니다. 혈압은 심장이 혈액을 밀어내는 동안 동맥에 가해지는 압력을 나타내는데, 이 압력이 일정 수준 이상으로 상승하면 고혈압이라고 판단됩니다. 고혈압은 심혈관 질환, 신장 문제, 뇌졸중 등 다양한 심각한 건강 문제를 초래할 수 있습니다.

2. 운동이 고혈압에 미치는 영향

운동은 고혈압을 예방하고 관리하는 데 매우 효과적입니다. 꾸준한 운동은 혈압을 정상 범위로 유지하고, 심혈관 건강을 강화하는 데 도움을 줍니다. 운동은 심장과 혈관을 강화시켜 심박수를 감소시키고 혈압을 낮추는 효과가 있습니다. 또한, 운동은 체중 감량을 도와 고혈압을 관리하는 데 도움이 됩니다.

3. 고혈압 관리를 위한 운동 권장 사항

1) 유산소 운동: 유산소 운동은 혈압을 낮추는 데 효과적입니다. 걷기, 조깅, 수영, 자전거 타기 등의 유산소 운동을 주 3-5회, 30분 이상 실시하는 것을 권장합니다.

2) 저강도 운동: 고혈압이 있거나 운동에 익숙하지 않은 경우 저강도 운동을 시작하는 것이 좋습니다. 스트레칭, 요가, 태극권 등

의 저강도 운동은 혈압을 안정시키는 데 도움이 됩니다.

3) 근력 운동: 근력 운동은 심혈관 기능을 향상하고, 체지방을 감소시켜 고혈압을 관리하는 데 도움이 됩니다. 가벼운 아령을 이용한 근력 운동을 주 2-3회 실시하는 것을 권장합니다.

이외에도 체조, 요가, 태극권 등 다양한 유형의 운동을 조화롭게 실시하는 것이 고혈압 관리에 도움이 됩니다. 하지만 운동을 시작하기 전에는 의사나 전문가와 상담하여 적절한 운동 계획을 수립하는 것이 좋습니다. 개인의 건강 상태와 목표에 맞는 운동을 선택하고 꾸준히 실시하는 것이 고혈압 관리에 가장 효과적입니다.

4. 고혈압이 있는데 운동을 시작하는 방법

고혈압이 있는 경우에도 운동을 시작할 수 있습니다. 다만, 운동을 시작하기 전에 의사와 상담하고, 다음의 지침을 따르는 것이 좋습니다.

1) 의사 상담: 고혈압이 있을 경우 의사와 상담하여 건강 상태와 운동에 대한 조언을 받으세요. 의사는 개인의 건강 상태와 약물 복용 여부를 고려하여 적절한 운동 계획을 제시해 줄 수 있습니다.

2) 저강도로 시작: 운동을 시작할 때에는 저강도 운동부터 시작하는 것이 좋습니다. 저강도 운동은 심혈관 부하를 줄이고 천천히 몸을 적응시킬 수 있도록 도와줍니다. 스트레칭, 걷기, 천천히 자전거 타기 등은 저강도 운동에 해당합니다.

3) 천천히 증가: 운동 강도를 천천히 증가시키세요. 처음에는 10분 정도의 운동으로 시작하고, 점진적으로 시간을 늘려나가세요. 목표는 주 3-5회, 30분 이상의 운동을 하는 것입니다.

4) 적절한 휴식: 운동 중에도 적절한 휴식을 취하세요. 피로를 느낄 때는 쉬어가며 체력을 회복시키는 것이 중요합니다.

5) 증상 관찰: 운동을 시작한 후 자신의 증상을 주의 깊게 관찰하세요. 어지럼증, 호흡 곤란, 가슴 통증 등의 이상 증상이 나타날 경우 즉시 의사에게 상담하세요.

6) 꾸준한 실천: 건강을 유지하고 고혈압을 관리하기 위해서는 꾸준한 운동이 필요합니다. 가능한 매일 조금씩이라도 운동하는 것을 목표로 하세요. 고혈압이 있는 경우에도 의사의 지시에 따라 적절한 운동을 시작하고, 체력과 증상에 맞게 조절하며 꾸준히 실천하는 것이 중요합니다.

5. 고혈압에 해로운 운동

고혈압을 가진 분들은 몇 가지 유형의 운동을 피하는 것이 좋습니다. 다음은 고혈압에 해로운 운동 유형입니다.

1) 고강도 운동: 고강도 운동은 심혈관 부하를 크게 가하므로 고혈압을 악화시킬 수 있습니다. 고강도 운동에는 급격한 가속, 강도 높은 웨이트 리프팅, 고강도 유산소 운동 등이 포함됩니다. 이러한 운동은 혈압을 높일 수 있으므로 주의가 필요합니다.

2) 중량 훈련: 고혈압을 가진 분들은 중량 훈련 시 주의해야 합니다. 과도한 중량을 이용하는 경우 혈압 상승을 유발할 수 있습니다. 중량 훈련을 할 때는 적절한 무게와 반복 횟수를 선택하여 신체에 부담을 줄이는 것이 중요합니다.

3) 급격한 강도 변화: 운동 중에 급격한 강도 변화는 혈압에 부담을 줄 수 있습니다. 예를 들어, 갑자기 빠른 속도로 달리기를 시

작하거나 강도가 급격하게 변하는 운동은 혈압을 상승시킬 수 있으므로 조심해야 합니다.

4) 고도 운동: 고도 운동은 혈압을 상승시킬 수 있습니다. 이러한 운동은 혈압을 조절하는 데 어려움을 줄 수 있으므로 고혈압을 가진 분들은 피하는 것이 좋습니다. 고혈압을 가진 분들은 의사와 상담한 후 안전한 운동을 선택하고, 고혈압에 부담을 주는 위험한 운동을 피하는 것이 중요합니다. 개인의 건강 상태와 혈압 관리 목표를 고려하여 적절한 운동 계획을 수립하는 것이 좋습니다.

6. 결론

운동을 통한 고혈압 관리의 중요성 고혈압은 심각한 건강 문제를 초래할 수 있으며, 이를 예방하고 관리하기 위해서는 꾸준한 운동이 필수적입니다. 운동은 혈압을 정상 범위로 유지하고 심혈관 건강을 강화하는 데 도움을 주며, 유산소 운동, 저강도 운동, 근력 운동을 조화롭게 실시하는 것이 좋습니다. 고혈압이 있거나 고혈압 예방에 관심이 있는 사람들은 의사나 전문가의 조언을 받아 적절한 운동 계획을 세우는 것이 좋습니다.

제7장 당뇨병과 운동: 건강을 위한 이상적인 조합

운동은 건강을 유지하고 질병 예방에 중요한 역할을 합니다. 특히 당뇨병이라는 만성 질환에 대해서도 운동은 매우 유익합니다. 이 글에서는 당뇨병과 운동의 관계에 대해 알아보고자 합니다.

1. 당뇨병의 정의와 주요 증상

당뇨병은 혈중의 포도당 농도가 비정상적으로 높아지는 대사 질환이며, 인슐린의 분비 부족 또는 인슐린의 작용에 이상이 생기면 발생합니다. 주요 증상으로는 과도한 배뇨, 심한 갈증, 체중 감소, 피로감 등이 있습니다. 당뇨병은 현재 전 세계적으로 많은 사람들에게 영향을 미치며, 심각한 합병증과 관련되어 있습니다.

2. 운동이 당뇨병에 미치는 긍정적인 영향

운동은 당뇨병 관리에 있어서 매우 중요한 역할을 합니다. 운동은 인슐린의 효과를 증가시키고, 혈당 조절을 도와줍니다. 규칙적인 운동은 혈당 수치를 안정화시키고, 인슐린 저항성을 개선하는데 도움을 줍니다. 또한, 운동은 체중 감량을 도와주고, 심혈관 질환 및 기타 합병증의 위험을 감소시킵니다. 유산소 운동과 저항 운동은 모두 당뇨병 환자에게 이점을 제공할 수 있으며, 정기적인 운동이 항상 권장됩니다.

3. 당뇨병에 걸린 사람들의 운동

당뇨병에 걸린 사람들이 적절한 운동을 선택하는 것은 매우 중요합니다. 다음은 당뇨병 환자들이 고려해야 할 운동의 종류입니다.

1) 유산소 운동: 당뇨병 환자에게 가장 권장되는 운동 중 하나입니다. 유산소 운동은 심박수를 증가시키고 호흡을 강화시키는 활동으로, 혈당 수치를 안정화시키는 데 도움을 줍니다. 걷기, 조깅, 수영, 사이클링 등이 유산소 운동의 대표적인 예입니다.

2) 저항 운동: 저항 운동은 근육을 강화하고 인슐린의 효과를 증가시키는 데 도움을 줍니다. 당뇨병 환자는 저항 운동을 통해 근력을 향상할 수 있으며, 혈당 조절에 도움을 줍니다. 웨이트 트레이닝, 필라테스, 요가 등이 저항 운동의 예입니다.

3) 유연성 운동: 유연성 운동은 관절의 유연성과 근육의 유연성을 향상시키는 데 도움을 줍니다. 당뇨병 환자는 스트레칭, 요가, 태극권 등의 유연성 운동을 통해 근육과 관절을 유연하게 유지할 수 있습니다.

당뇨병 환자가 운동을 선택할 때는 다음 사항을 고려해야 합니다. 의사나 건강 전문가의 지도를 받으세요. 현재 건강 상태와 신체 조건에 맞는 운동을 선택하세요. 운동 강도와 빈도를 조절하여 천천히 시작하세요. 혈당 수치와 신체 반응을 주의 깊게 관찰하세요. 증상이나 불편한 부분이 있을 경우 즉시 멈추고 전문가와 상담하세요. 위의 조언을 따르면 당뇨병 환자들도 안전하고 효과적인 운동을 할 수 있을 것입니다. 그러나 개별적인 상황에 따라 운동 계획은 개별화되어야 하므로, 의사나 건강 전문가와 상담하여 최적의 운동 방법을 찾아보시기 바랍니다.

4. 당뇨병과 운동의 관계에서 혈당수치

당뇨병 환자가 운동을 하면 혈당 수치는 다음과 같이 변할 수 있습니다.

1) 감소: 운동은 근육에서 혈당을 에너지로 사용하므로 운동을 하면 혈당 수치가 감소할 수 있습니다. 운동을 통해 근육이 더 많은 혈당을 소비하게 되어 혈당 수치가 일시적으로 낮아질 수 있습니다.

2) 증가: 일부 당뇨병 환자는 운동 후 혈당 수치가 상승할 수 있습니다. 이는 긴장 호르몬인 스트레스 호르몬의 분비로 인해 혈당 수치가 일시적으로 증가하는 현상입니다. 특히 고강도 운동이나 긴 시간 동안의 운동을 할 경우에 주로 나타날 수 있습니다. 운동에 따른 혈당 변화는 개인마다 다를 수 있으며, 당뇨 유형, 현재 혈당 수치, 운동 강도와 지속 시간 등에 따라 다를 수 있습니다.

따라서 운동 전후에 혈당을 측정하고 변화를 관찰하는 것이 중요합니다. 이를 통해 자신에게 가장 적합한 운동 계획을 세울 수 있습니다. 또한, 혈당 변동에 관해서는 의사나 당뇨 교육자와 상담하여 개별적인 상황에 맞는 조언을 받는 것이 좋습니다. 그들은 당신의 건강 상태와 당뇨 관리에 대한 자세한 정보를 알고 있으며, 정확한 지침을 제공할 수 있습니다.

5. 당뇨병 환자들이 운동할 때 주의사항

1) 혈당 모니터링: 운동 전, 중, 후에 혈당을 체크하는 것이 중요합니다. 혈당 수치의 변화를 파악하여 적절한 대처를 할 수 있습

니다.

2) 혈당 조절: 혈당이 너무 낮아지지 않도록 주의해야 합니다. 운동 전 혈당 수치가 낮은 경우에는 충분한 탄수화물을 섭취하여 혈당을 안정화시키는 것이 중요합니다.

3) 적절한 운동 강도와 시간: 운동 강도와 시간을 개인의 체력과 건강 상태에 맞게 조절해야 합니다. 과도한 운동은 혈당 수치를 낮출 수 있지만, 부상이나 심각한 신체 부담을 유발할 수 있습니다.

4) 적절한 식사와 수분 섭취: 운동 전에는 충분한 탄수화물을 섭취하여 혈당을 안정화시키고, 운동 중에는 수분을 충분히 섭취하여 신체가 탄수화물을 효과적으로 대사할 수 있도록 해야 합니다.

5) 신발과 장비: 편안하고 적절한 신발을 착용하여 부상을 예방해야 합니다. 또한, 혈당 측정기와 긴급 상황에 대비할 수 있는 긴급 의료 정보를 가지고 다녀야 합니다.

6) 의사와 상담: 운동 계획을 세우기 전에 의사나 당뇨 교육자와 상담하여 개인의 건강 상태와 목표에 맞는 운동 계획을 수립해야 합니다.

7) 신체 반응 관찰: 운동 중에는 신체의 반응을 주의 깊게 관찰해야 합니다. 어지럼증, 두통, 불편한 심장 박동 등의 증상이 나타날 경우 즉시 운동을 중단하고 의사와 상담해야 합니다. 이러한 주의 사항을 지켜가면서 안전하고 효과적인 운동을 할 수 있습니다. 당뇨 관리를 위해 의사나 당뇨 교육자와의 상담을 권장합니다.

6. 건강을 위한 당뇨병과 운동의 결론

당뇨병은 현재 많은 사람들에게 영향을 미치는 만성 질환입니다.

그러나 운동은 당뇨병 관리에 있어서 매우 중요한 역할을 합니다. 규칙적인 운동은 혈당 조절을 도와주고, 합병증의 위험을 감소시키며, 일반적인 건강을 촉진합니다. 따라서 당뇨병 환자들은 의사의 지도를 받아 안전하고 효과적인 운동 계획을 수립하고 실천해야 합니다.

7. 결론

당뇨병과 운동은 건강을 위한 이상적인 조합입니다. 운동은 당뇨병 예방과 관리에 큰 도움을 주며, 혈당 조절과 합병증의 위험 감소에 기여합니다. 따라서 당뇨병 환자들은 적절한 운동을 통해 건강한 삶을 유지할 수 있도록 노력해야 합니다.

제8장 심혈관질환과 스포츠: 건강을 위한 가장 좋은 조합

1. 심혈관질환의 위험성과 예방법

심혈관질환은 현대 사회에서 매우 흔한 질병으로, 심장과 혈관에 영향을 미치는 다양한 질병을 포함합니다. 고혈압, 심장병, 뇌졸중 등이 대표적인 심혈관질환으로 알려져 있습니다. 이러한 질환은 생명에 지장을 줄 수 있으므로 예방이 매우 중요합니다. 흡연, 과다한 음주, 체중과 비만, 앉아서의 생활습관 등은 심혈관질환의 위험을 증가시키는 요인으로 알려져 있습니다. 이러한 위험을 줄이기 위해서는 규칙적인 운동과 건강한 식습관을 유지하는 것이 필요합니다.

2. 스포츠의 심혈관질환 예방 효과

운동은 심혈관건강에 매우 긍정적인 영향을 미칩니다. 꾸준한 운동은 혈액순환을 촉진시켜 심장과 혈관의 기능을 향상하고, 고혈압, 심장병, 뇌졸중 등 심혈관질환의 위험을 감소시킵니다. 심장근육을 강화시키고 동맥경화를 예방하는 효과도 있습니다. 또한, 운동은 체중 감량에 도움을 주어 비만 관리에도 효과적입니다. 특히, 유산소 운동이 심혈관질환 예방에 탁월하다고 알려져 있으며, 걷기, 달리기, 수영 등 다양한 유산소 운동을 선택할 수 있습니다.

3. 심혈관질환 예방을 위한 스포츠

심혈관 질환 예방을 위해 권장되는 스포츠 종목은 다양합니다. 하지만 심혈관 건강을 향상시키고 예방하기 위해서는 유산소 운동이 중요합니다. 유산소 운동은 심박수를 증가시키고 호흡을 강화하여 심혈관 시스템을 강화시키는 데 도움이 됩니다. 따라서 다음과 같은 스포츠 종목을 고려해 볼 수 있습니다.

1) 조깅: 자유롭게 할 수 있는 조깅은 심혈관 건강에 매우 효과적입니다. 적절한 속도와 거리로 조깅을 실시하면 심혈관 기능을 개선할 수 있습니다.

2) 수영: 수영은 심혈관을 강화하고 근력과 유연성을 향상시키는 데 도움이 됩니다. 물속에서의 저항은 근육을 강화시키고 심박수를 증가시킵니다.

3) 사이클링: 자전거를 타는 것은 유산소 운동을 할 수 있는 좋은 방법입니다. 야외에서 사이클링을 즐기면서 심혈관 건강을 증진시킬 수 있습니다.

4) 등산: 등산은 체력을 향상시키고 심혈관 건강을 개선하는 데 도움이 됩니다. 산악지형에서의 운동은 다양한 근육을 사용하며 유산소 운동 효과가 있다.

이러한 스포츠 종목은 심혈관 질환 예방에 도움이 되는데, 개인의 신체 상태와 건강 상태에 따라 적절한 운동을 선택하는 것이 중요합니다. 운동을 시작하기 전에 의사와 상담하여 적절한 운동 계획을 수립하는 것이 좋습니다.

4. 심혈관질환에 좋지 않은 스포츠

심혈관 질환에 좋지 않은 스포츠는 고강도의 근력 운동과 과도한 신체 부하가 발생하는 종목입니다. 이러한 종목은 심혈관에 부하를 주어 질환의 위험을 증가시킬 수 있습니다. 몇 가지 예시는 다음과 같습니다.

1) 중량 훈련: 과도한 중량을 이용한 힘줄 당기기나 들기와 같은 운동은 심혈관에 큰 부하를 줄 수 있습니다. 심장에 과도한 압력을 가하거나 동맥을 급속하게 수축시키는 경우 심혈관에 부담이 될 수 있습니다.

2) 경기나 스포츠에서의 과도한 경질: 특히 경기 중에 급격한 체력 소모와 심리적 스트레스가 발생하는 종목은 심혈관에 부담을 줄 수 있습니다. 장시간 고강도의 운동이나 긴 시간 동안의 경기는 체력 소모와 스트레스를 증가시키므로 주의가 필요합니다.

3) 극한의 활동: 극한의 활동이나 스포츠는 심혈관에 중대한 부담을 줄 수 있습니다. 예를 들어 스카이다이빙, 스노우보딩 등 고도나 속도, 낙하 등에 따른 극한의 활동은 심혈관에 큰 스트레스를 가할 수 있습니다.

심혈관 질환 예방을 위해서는 심혈관에 부담을 주지 않는 적절한 운동을 선택하는 것이 중요합니다. 개인의 건강 상태와 조언을 받은 의사의 지시에 따라 적절한 운동 계획을 수립하는 것이 좋습니다.

5. 심혈관질환 예방을 위한 운동시간

심혈관 질환 예방을 위해서는 정기적이고 꾸준한 운동이 필요합니다. 대부분의 건강 기관과 전문가들은 주간에 적어도 150분 이상의 중등도 강도의 유산소 운동을 권장하고 있습니다. 이를 하루에 약 30분씩 5일 이상 분산하여 실천하는 것이 좋습니다. 또한, 근력 운동을 주 2회 이상 포함시키는 것도 권장됩니다. 근력 운동은 근육을 강화하고 뼈 건강을 증진시키며, 심혈관 건강에도 도움이 됩니다. 근력 운동은 유산소 운동과 함께 조합하여 균형 잡힌 운동 프로그램을 구성하는 것이 좋습니다. 그러나 개인의 건강 상태, 체력 수준, 나이, 기타 독특한 요인에 따라 운동 권장 사항은 달라질 수 있습니다.

따라서 운동을 시작하기 전에 의사나 건강 전문가와 상담하는 것이 중요합니다. 그들은 개인의 상황을 고려하여 적합한 운동 계획을 제시해 줄 것입니다. 무엇보다도, 운동을 시작할 때는 천천히 시작하고 조금씩 증가시키는 것이 중요합니다. 지나치게 과도한 운동은 부상의 위험을 증가시킬 수 있으므로 체력에 맞는 적절한 운동을 선택하고 꾸준히 실천하는 것이 가장 중요합니다.

6. 적절한 운동 방법과 주의사항

심혈관질환 예방을 위해서는 올바른 운동 방법과 주의사항을 알고 실천해야 합니다. 무리한 운동은 오히려 심혈관에 부담을 줄 수 있으므로, 체력과 목적에 맞는 운동을 선택해야 합니다. 의사나 전문가의 조언을 듣는 것도 중요합니다. 또한, 운동 전에 충분한 스트레칭과 워밍업을 하는 것이 중요하며, 적절한 휴식과 수분 섭취도 필요합니다. 만약 심혈관질환과 관련된 증상이 있다면, 즉시 의료진과 상담하여 적절한 조치를 취해야 합니다.

7. 결론

스포츠를 통한 심혈관질환 예방의 중요성 강조 심혈관질환은 심각한 질병이지만, 스포츠를 통해 예방할 수 있는 가능성이 큽니다. 규칙적이고 적절한 운동은 심혈관건강을 증진시키고, 심혈관질환의 위험을 감소시킵니다. 하지만, 적절한 운동 방법과 주의사항을 지키는 것이 중요합니다. 심혈관질환과 관련된 증상이 있는 경우 의료진의 지도를 받아야 합니다. 건강한 심혈관을 유지하기 위해 규칙적인 운동을 통해 스포츠를 즐기는 것을 권장합니다.

제9장 치매 예방을 위한 생활습관: 나를 지키는 운동

1. 치매와 운동

연구 결과를 살펴보면 운동은 우리 건강에 매우 중요한 역할을 합니다. 최근 연구들은 운동이 치매 예방에도 효과적일 수 있다는 것을 보여주고 있습니다. 여러 연구 결과를 통해 치매와 운동 사이의 관계를 알아보도록 하겠습니다.

1) 운동과 뇌 건강

운동은 뇌 건강에 긍정적인 영향을 미칩니다. 신체 활동은 혈류를 증가시키고, 뇌에 산소와 영양분을 공급하는데 도움을 줍니다. 이를 통해 뇌 세포의 생존과 기능을 개선시키며, 치매의 위험을 감소시키는 것으로 알려져 있습니다.

2) 운동과 인지 기능

운동은 인지 기능을 향상하는 데 도움을 줄 수 있습니다. 연구에 따르면, 정기적인 신체 활동은 학습 능력, 기억력, 집중력 등을 향상하는데 긍정적인 영향을 미친다고 합니다. 이는 치매의 초기 증상을 완화시키고 인지 기능의 저하를 예방하는 데 도움이 될 수 있습니다.

3) 운동의 종류와 빈도

운동의 종류와 빈도는 치매 예방에 중요한 역할을 합니다. 유산소 운동(걷기, 수영 등)은 심혈관 기능을 향상시키고 뇌 건강에 도움을 줍니다. 근력 운동(줄넘기, 웨이트 트레이닝 등)은 근육을 강화하고 인지 기능을 향상할 수 있습니다. 또한, 정기적인 운동이 치매 예방에 더 효과적이라고 알려져 있습니다.

2. 운동 외에도 중요한 요소들

운동 외에도 치매 예방에는 다른 중요한 요소들이 있습니다. 건강한 식습관, 충분한 수면, 사회적 활동 등이 여기에 포함됩니다. 이러한 요소들과 운동을 통합하여 실천한다면 치매 예방 효과를 더욱 향상시킬 수 있습니다.

3. 치매 예방을 위한 운동의 중요성

치매는 현재로서는 완전히 치료할 수 없는 질환이지만, 예방은 가능합니다. 운동은 치매 예방에 매우 중요한 역할을 합니다. 정기적인 운동은 뇌 건강과 인지 기능을 향상시키며, 치매 발병의 위험을 줄일 수 있습니다. 건강한 생활 습관과 운동을 조화롭게 유지하는 것이 치매 예방을 위한 가장 좋은 전략입니다.

4. 치매 예방을 위해 운동이 왜 중요한가?

1) 뇌 건강과 혈류 개선: 운동은 혈류를 증가시키고 뇌에 산소와 영양분을 공급하는 데 도움을 줍니다. 이를 통해 뇌 세포의 생존과 기능을 개선시키며, 치매의 위험을 감소시키는 것으로 알려져 있습니다.

2) 인지 기능 향상: 연구에 따르면, 정기적인 신체 활동은 학습 능력, 기억력, 집중력 등을 향상시키는 데 긍정적인 영향을 미칩니다. 이는 치매의 초기 증상을 완화시키고 인지 기능의 저하를 예방

하는 데 도움이 될 수 있습니다.

3) 스트레스 감소: 운동은 스트레스를 감소시키고 우울감을 완화시키는 데 도움을 줍니다. 스트레스와 우울은 치매 발병 위험을 증가시킬 수 있는 요인 중 하나이므로, 운동을 통해 이를 관리하는 것이 중요합니다.

4) 신경세포 연결 강화: 운동은 뉴런의 연결을 강화시켜 신경망을 발달시키는 데 도움을 줍니다. 이는 뇌의 플라스틱성을 향상하고 치매 예방에 도움을 줄 수 있습니다.

5) 순환계 강화: 운동은 심혈관 기능을 향상시키고 고혈압, 당뇨 등 순환계 질환의 위험을 감소합니다. 이는 뇌에 영향을 미치는 요인을 줄이고 치매 예방에 도움을 줄 수 있습니다.

이처럼 운동은 뇌 건강과 인지 기능 향상, 스트레스 감소, 신경세포 연결 강화, 순환계 강화 등을 통해 치매 예방에 매우 중요한 역할을 합니다. 따라서 우리는 정기적인 운동을 통해 건강한 라이프스타일을 유지하고 치매 예방에 노력해야 합니다.

5. 치매 예방에 좋은 운동

치매 예방에 가장 효과적인 운동은 유형별로 다양합니다. 다음은 치매 예방에 도움을 줄 수 있는 주요 운동 유형입니다.

1) 유산소 운동: 유산소 운동은 심장 및 순환계 건강을 증진시키고 혈류를 개선하는 데 도움을 줍니다. 이는 뇌에 산소와 영양분을 공급하고 치매의 위험을 감소시키는 데 도움이 됩니다. 예를 들면, 걷기, 조깅, 수영, 자전거 타기 등이 있습니다.

2) 저항 운동: 저항 운동은 근력을 향상시키고 근육을 유지하는

데 도움을 줍니다. 이는 노화로 인한 근력 감소를 방지하고 신체 기능을 개선하는 데 도움이 됩니다. 예를 들면, 웨이트 트레이닝, 필라테스, 요가 등이 있습니다.

3) 미인수 운동: 미인수 운동은 신체의 균형과 조절 능력을 향상하는 데 도움을 줍니다. 이는 쓰러짐과 관련된 부상을 예방하고 일상생활에서의 기능을 개선하는 데 도움이 됩니다. 예를 들면, 태극권, 타이치, 밸런스 훈련 등이 있습니다.

4) 인지 활동: 인지 활동은 두뇌를 활발하게 사용하여 인지 기능을 향상시키는 데 도움을 줍니다. 이는 치매 예방에 매우 중요한 요소입니다. 예를 들면, 퍼즐, 수학 문제 해결, 학습, 읽기, 인터넷 검색 등이 있습니다.

가장 효과적인 운동은 다양한 유형의 운동을 조합하여 수행하는 것입니다. 정기적이고 다양한 운동을 통해 신체와 두뇌를 활발하게 유지하면 치매 예방에 도움이 될 수 있습니다. 하지만 개인의 건강 상태와 선호도에 따라 적합한 운동을 선택하는 것이 중요합니다. 의료 전문가와 상담하여 개인에 맞는 운동 계획을 수립하는 것이 좋습니다.

6. 결론

운동은 치매 예방에 매우 중요한 요소입니다. 연구 결과를 통해 운동과 치매 사이의 긍정적인 관계를 확인할 수 있었습니다. 운동은 뇌 건강과 인지 기능을 향상하며, 치매 발병의 위험을 줄일 수 있습니다. 하지만 운동 외에도 건강한 식습관, 충분한 수면, 사회적 활동 등을 함께 실천하는 것이 더욱 효과적입니다. 따라서 우리

는 건강한 생활 습관을 유지하고 정기적인 운동을 통해 치매 예방
에 노력해야 합니다.

제10장 건강보조식품과 운동: 최적의 조화를 찾아서

1. 건강보조식품의 역할과 중요성

운동을 하면서 건강을 유지하고 강화하기 위해 건강보조식품을 섭취하는 것은 많은 사람들이 관심을 가지고 있습니다. 건강보조식품은 영양소를 보충하고 몸의 기능을 지원하여 운동성과를 향상할 수 있습니다. 이러한 이유로 건강보조식품은 운동과 밀접한 관계를 가지고 있습니다. 건강보조식품은 운동성과에 직접적인 영향을 미치는데, 예를 들면 단백질 보충제는 근육의 회복과 성장에 도움을 주며, 비타민과 미네랄 보충제는 에너지 생산과 면역 체계 강화에 도움을 줍니다. 또한, 항산화물질이나 오메가-3 지방산 같은 특정 영양소는 근육 손상을 줄이고 염증을 완화하여 운동 후의 회복 속도를 높여줄 수 있습니다.

2. 운동과 건강보조식품의 상호작용

운동을 할 때 건강보조식품을 섭취하면 어떤 효과가 있는지 알아보겠습니다. 첫째, 운동 전에 탄수화물 보충제를 섭취하면 신체의 글리코겐 수준을 유지하여 지속적인 운동을 할 수 있습니다. 둘째, 운동 중에 전기해수분을 함유한 음료나 전해질 보충제를 마시면 수분 밸런스를 유지하고 근육 경련을 예방할 수 있습니다. 셋째, 운동 후에 단백질 보충제를 섭취하면 근육 회복과 성장을 도모할 수 있습니다. 하지만, 건강보조식품을 선택할 때에는 신중해야 합니다. 영양소의 과다 섭취는 부작용을 일으킬 수 있으며, 일부 건강보조식품은 효과가 미미하거나 위험할 수도 있습니다. 따라서 전문가의 조언을 듣고 신뢰할 수 있는 건강보조식품을 선택하는 것이 중요합니다.

3. 운동과 함께 섭취하는 건강보조식품의 효과

운동과 함께 섭취하는 건강보조식품은 다양한 효과를 가질 수 있습니다. 주요 효과는 다음과 같습니다.

1) 근육 회복과 성장 촉진: 단백질 보충제는 운동 후 근육 손상을 최소화하고 회복 속도를 높여줍니다. 단백질은 근육 섬유의 구성 요소이며, 운동 후에 충분한 단백질을 섭취하면 근육의 회복과 성장을 도모할 수 있습니다.

2) 에너지 생산과 지구력 향상: 탄수화물 보충제는 운동 전에 섭취되어 글리코겐 수준을 유지해줍니다. 이는 지속적인 운동을 할 수 있게 하며, 에너지 생산과 지구력 향상에 도움을 줍니다.

3) 면역 체계 강화: 비타민과 미네랄 보충제는 면역 체계를 강화하여 감염과 질병으로부터의 회복을 돕습니다. 운동은 일시적으로 면역 체계를 약화시킬 수 있으므로, 이러한 영양소를 충분히 섭취하는 것이 중요합니다.

4) 염증 완화와 관절 건강 개선: 일부 건강보조식품은 항산화물질이나 오메가-3 지방산과 같은 특정 영양소를 포함하고 있어, 근육 손상을 줄이고 염증을 완화시키는데 도움을 줄 수 있습니다. 또한, 관절 건강을 개선하는데도 효과적일 수 있습니다.

5) 영양소 보충: 운동을 하면서 몸은 더 많은 영양소를 필요로 합니다. 건강보조식품은 부족한 영양소를 보충하여 올바른 영양 상태를 유지하고 운동성과를 향상할 수 있습니다. 하지만, 건강보조식품은 개인의 목표와 필요에 따라 선택되어야 합니다. 영양 섭취와 운동 계획을 전문가와 상의하고, 신중하게 선택하는 것이 중요합니다.

4. 건강보조식품을 선택할 때 주의해야 할 점

1) 전문가와 상담하기: 건강보조식품을 선택하기 전에, 영양사나 의사와 상담하는 것이 좋습니다. 개인의 건강 상태, 목표, 약물 복용 여부 등을 고려하여 적합한 제품을 추천받을 수 있습니다.

2) 성분 명시 확인하기: 제품의 성분 목록을 꼼꼼히 확인해야 합니다. 알레르기 반응이나 특정 성분에 민감한 경우, 해당 성분이 포함되어 있는지 확인해야 합니다. 또한, 식품첨가물이나 인공 감미료 등이 함유되어 있지 않은지도 확인해야 합니다.

3) 품질과 안전성 검증: 식품 및 건강보조식품 제조업체의 신뢰성과 품질 관리 체계를 확인해야 합니다. 인증 기구나 규제 기관의 승인을 받은 제품을 선택하는 것이 안전합니다.

4) 광고와 현실 사이의 차이 인식하기: 광고나 마케팅에서 주장하는 효과와 실제 효능 사이에는 차이가 있을 수 있습니다. 과장된 광고에 현혹되지 말고, 실제 연구 결과나 과학적 근거를 검토하는 것이 중요합니다.

5) 적절한 용량과 섭취 방법 지키기: 건강보조식품의 용량과 섭취 방법을 지켜야 합니다. 지정된 용량을 초과하여 섭취하거나, 올

바르지 않은 방법으로 사용하면 부작용이 발생할 수 있습니다.

6) 다양한 영양소 섭취 유의하기: 건강보조식품은 영양소의 일부만을 제공하므로, 균형 잡힌 식단과 함께 다양한 영양소를 섭취해야 합니다. 식사를 대체하는 용도로 사용하지 않도록 주의해야 합니다.

7) 개인 신체 반응 관찰하기: 건강보조식품을 섭취한 후 개인의 신체 반응을 주의 깊게 관찰해야 합니다.

이상 반응이나 부작용이 있는 경우, 즉시 전문가와 상담해야 합니다. 이러한 주의사항을 지켜 건강보조식품을 선택하고 사용하면, 효과적으로 건강을 보호하고 목표를 달성할 수 있습니다. 따라서 건강을 위해 운동과 함께 건강보조식품을 고려하는 것은 좋은 선택입니다. 그러나 신중하게 선택하고 전문가의 조언을 듣는 것이 중요합니다. 자신에게 맞는 건강보조식품과 적절한 운동을 조합하여 최적의 건강과 웰빙을 추구해야 합니다.

5. 건강보조식품과 운동의 결론적인 이점

건강보조식품과 운동은 상호 보완적인 관계를 가지고 있습니다. 올바르게 선택된 건강보조식품은 운동성과를 향상하고 건강을 유지하는 데 도움을 줄 수 있습니다. 그러나 건강보조식품은 운동의 대안이 되지는 않습니다. 규칙적이고 적절한 운동이 여전히 건강을 유지하고 개선하는 데 가장 중요한 역할을 합니다.

제11장 미세먼지와 스포츠: 건강과 운동 활동의 상관관계

1. 미세먼지의 건강 영향과 스포츠

미세먼지는 대기 중에 떠다니는 작은 입자로서 호흡기 질환과 심혈관 질환 등 다양한 건강 문제를 유발할 수 있습니다. 특히, 스포츠를 즐기는 사람들에게는 미세먼지가 운동 성능과 건강에 미치는 영향이 큽니다. 미세먼지에 노출되면 호흡기로 직접 흡입되어 폐에 침착되고, 이는 호흡 곤란, 기침, 가슴 통증 등을 초래할 수 있습니다. 하지만, 스포츠는 단순히 미세먼지의 부정적인 영향만을 가져오는 것은 아닙니다. 운동은 심장 및 폐 기능을 향상하고, 면역력을 강화하는 등 건강에 많은 이점을 제공합니다. 따라서 미세먼지와 스포츠의 관계는 단순히 부정적인 영향만을 강조하기보다는 운동이 건강에 미치는 긍정적인 효과도 함께 고려해야 합니다.

2. 미세먼지가 많은 날씨에 건강유지 방법

미세먼지가 많은 날씨에도 건강을 유지하기 위해 몇 가지 조치를 취할 수 있습니다. 다음은 미세먼지가 많은 날씨에 안전하게 운동하는 방법입니다.

1) 실내 운동을 선택: 미세먼지 농도가 높은 날씨에는 실내에서 운동하는 것이 가장 안전합니다. 실내 체육관, 헬스장 또는 운동 스튜디오에서 실내 운동을 즐기세요. 실내에서는 공기가 정화되어

더 깨끗하고 건강한 환경에서 운동할 수 있습니다.

2) 적절한 시간과 장소를 선택: 미세먼지 농도가 낮은 시간대에 운동하는 것이 좋습니다. 일반적으로 새벽이나 늦은 저녁 시간대에는 대기 중 미세먼지 농도가 낮아질 수 있습니다. 또한, 실내 체육관이나 운동 시설에서 운동을 할 수 있는 환경을 찾아보세요.

3) 마스크를 착용: 실외 운동을 해야 할 경우, 미세먼지를 흡입하는 것을 줄이기 위해 마스크를 착용하세요. 미세먼지 차단 기능이 있는 마스크를 선택하는 것이 좋습니다. 마스크는 호흡기를 보호하고 건강을 유지하는 데 도움이 됩니다.

4) 신체 상태를 주의: 미세먼지가 많은 날씨에 운동을 할 때는 신체 상태를 주의해야 합니다. 호흡곤란, 기침, 목이 메는 등의 증상이 있다면 운동을 적당히 조절하거나 중단해야 합니다. 건강을 우선으로 생각하고 적절한 운동 강도와 시간을 선택하세요.

5) 실내 공기 질을 개선: 실내에서 운동을 할 때는 공기청정기나 환기 시스템을 활용하여 실내 공기 질을 개선하세요. 이렇게 함으로써 미세먼지의 영향을 최소화하고 더 건강한 환경에서 운동할 수 있습니다. 미세먼지가 많은 날씨에도 건강을 유지하기 위해 이러한 조치를 취해보세요. 실내 운동, 적절한 시간과 장소 선택, 마스크 착용, 신체 상태 관리, 실내 공기 질 개선 등을 고려하여 안전하고 건강한 운동을 즐기세요.

3. 실내 운동 활동과 미세먼지 대처 방법

실내 운동은 미세먼지로 인한 영향을 최소화할 수 있는 좋은 대안입니다. 실내 체육관이나 헬스장에서 운동을 하면 미세먼지로부터 직접적으로 피하면서도 건강을 챙길 수 있습니다. 또한, 공기청정기나 환기 시스템을 잘 활용하여 실내의 공기를 깨끗하게 유지하는 것이 중요합니다. 이를 통해 미세먼지로 인한 건강 문제를 최소화하면서도 스포츠를 즐길 수 있습니다.

4. 야외 운동과 미세먼지 대처 방법

야외에서 운동을 즐기는 사람들은 미세먼지로부터 더욱 노출될 가능성이 높습니다. 그러나 몇 가지 대처 방법을 통해 미세먼지의 영향을 최소화할 수 있습니다. 먼저, 미세먼지 농도가 높은 날씨에는 운동을 자제하는 것이 좋습니다. 또한, 마스크를 착용하여 호흡기로부터 미세먼지를 차단하고, 운동 시간과 장소를 조정하여 최대한 미세먼지에 노출되지 않도록 신경 써야 합니다.

5. 결론

미세먼지와 스포츠는 건강과 운동 활동에 상관관계를 가지고 있습니다. 미세먼지는 운동 성능과 호흡기 질환에 부정적인 영향을 미칠 수 있지만, 스포츠는 운동을 통해 건강을 개선하고 면역력을 강화하는 효과가 있습니다. 따라서 실내 운동이나 적절한 미세먼지 대처 방법을 통해 건강을 챙기면서도 스포츠를 즐기는 것이 좋습니다.

제 12장 술과 운동: 건강을 위한 균형 유지를 위한 방법

술과 운동은 우리의 건강과 웰빙에 중요한 영향을 미치는 요소입니다. 이 글에서는 술과 운동의 관계를 이해하고, 건강을 위한 균형을 유지하는 방법에 대해 알아보겠습니다.

1. 술과 운동의 관계 이해하기

술과 운동은 서로 다른 영향을 주지만, 올바른 방식으로 조화롭게 결합할 수 있습니다. 우선, 운동은 우리의 신체 건강과 체중 관리에 매우 중요합니다. 운동은 근육을 강화하고 유연성을 향상하며, 심혈관 기능을 향상합니다. 또한, 운동은 스트레스 감소와 우울증 완화에도 도움을 줍니다. 반면, 술은 과도한 섭취 시 건강에 부정적인 영향을 미칠 수 있습니다. 알코올은 간 기능을 저하시키고 신체에 독성을 끼칠 수 있습니다. 또한, 술은 우리의 수면 패턴과 대사를 방해할 수 있습니다. 따라서 술을 적절하게 섭취하는 것이 중요합니다.

2. 술을 마실 때의 운동 전략

술을 마실 때에도 운동을 계획적으로 수행하는 전략을 가져야 합니다. 첫째, 술을 마시기 전에 충분한 양의 물을 마시는 것이 중요합니다. 이는 알코올 섭취로 인한 탈수를 방지하고, 술의 영향을 완화시킬 수 있습니다. 둘째, 술을 마신 후에는 운동을 즉시 하지 않는 것이 좋습니다. 알코올은 우리의 반응 속도와 균형을 저하시킬 수 있으므로, 운동 시 안전에 주의해야 합니다. 술을 마신 후 적절한 휴식을 취하고, 숙취를 완화하기 위해 수분을 충분히 섭취하는 것이 좋습니다. 셋째, 술을 마신 다음날에는 가벼운 운동을 선택하는 것이 좋습니다. 운동은 숙취 증상을 완화시키고, 신진대사를 촉진시켜 술의 영향을 빨리 퇴출시킬 수 있습니다. 하지만 과도한 운동은 오히려 체력을 떨어뜨리고 부상의 위험을 증가시킬 수 있으므로 적당한 운동을 선택해야 합니다.

3. 술을 많이 마셨을 때 운동을 하면 어떤 영향이 있을까?

술을 많이 마신 후에 운동을 하면 몇 가지 부정적인 영향이 있을 수 있습니다. 우선, 술은 탄수화물과 알코올로 이루어져 있어 에너지 소모를 느리게 할 수 있습니다. 따라서 운동 시간 동안에는 술을 소화하는 데 더 많은 시간이 필요할 수 있습니다. 또한, 술은 신체의 수분을 배출시키는 효과가 있기 때문에 탈수의 위험성도 증가할 수 있습니다. 또한, 술을 과도하게 마셨을 때 운동을 하면 운동 도중에 혈당 수준이 낮아지거나 혈압이 상승할 수 있습니다. 이는 운동 중에 불쾌한 증상을 유발할 수 있으며, 심각한 경우에는 건강에 위험을 초래할 수 있습니다. 또한, 술을 마시고 운동을 하면 혈액순환이 저하되어 산소와 영양소의 공급이 충분하지 않을 수 있으며, 근육 손상과 회복에도 영향을 줄 수 있습니다. 따라서 술을 많이 마신 후에는 적절한 휴식과 수분 보충을 통해 숙취를 회복하는 것이 좋습니다. 술과 운동은 서로 다른 목적을 가지고 있기 때문에, 술을 마신 후에는 운동보다는 몸을 쉬어주는 것이 좋습니다.

4. 과음 후 운동 시작 시기

과음 후에는 숙취의 증상과 몸 상태에 따라 운동을 시작하는 적절한 시기가 달라질 수 있습니다. 일반적으로, 과음 후에는 몸이 피로하고 약해져 있으므로 적절한 휴식과 수분 보충이 우선되어야 합니다. 하지만, 몸 상태에 따라 가벼운 운동을 시작하는 것도 가능합니다. 과음 후 첫날은 몸이 회복되는 데 시간이 필요하므로, 휴식을 취하고 수분을 충분히 섭취하는 것이 좋습니다. 물과 전해질을 충분히 섭취하여 탈수를 예방하고 몸의 기능을 회복시킬 수 있습니다. 과음 후 두 번째 날부터는 몸 상태에 따라 가벼운 유산소 운동이나 신체 활동을 시작할 수 있습니다. 하지만, 운동 강도와 종류는 개인의 체력과 피로도에 따라 달라집니다. 몸이 여전히 지친 상태라면 가벼운 산책이나 요가와 같은 저강도 운동을 선택하는 것이 좋습니다. 체력이 회복되고 증상이 완화된다면 조금 더 강도 있는 운동을 시도할 수 있습니다.

5. 과음 후 운동보다는 휴식이 좋은 이유

술을 많이 마신 후에는 휴식이 운동보다 좋은 이유가 몇 가지 있습니다.

1) 탈수와 전해질 불균형: 술은 몸에서 수분을 많이 빼앗아 탈수를 유발할 수 있습니다. 또한, 술에 함유된 알코올은 신체 내의 전해질 불균형을 초래할 수 있습니다. 이로 인해 숙취 증상이 발생하며, 운동 시에는 신체에 더 큰 부담을 줄 수 있습니다. 휴식을 취하면서 충분한 수분을 섭취하여 탈수를 예방하고 전해질 불균형을

조절할 수 있습니다.

2) 신체 회복: 술을 과하게 마시면 간, 심장, 신장 등 내장기관이 더 큰 부담을 받게 됩니다. 이로 인해 술을 마신 후에는 몸이 회복되는 시간이 필요합니다. 휴식을 취하면 몸의 대사 기능이 정상화되고, 간 및 신장의 해독 작용이 이루어질 수 있습니다. 숙취로 인한 피로와 불편한 증상이 완화되며, 몸의 회복 속도가 빨라집니다.

3) 운동 부상 위험 감소: 술을 마신 상태에서 운동을 하면 운동 도중에 균형을 잃거나 반응 속도가 떨어져 부상을 입을 위험이 증가합니다. 숙취로 인해 몸이 더 피곤하고 약해져 있기 때문에 운동 중에 부상을 입을 가능성이 높아집니다. 휴식을 취하면서 몸을 회복시키고 균형을 잡아 운동 부상 위험을 감소시킬 수 있습니다.

따라서 술을 많이 마신 후에는 휴식을 취하는 것이 몸의 회복과 숙취 완화를 도와주는 가장 좋은 방법입니다. 운동을 하기 전에는 몸의 상태를 듣고 적절한 휴식을 취하고, 숙취가 완화된 후에 조금씩 운동을 시작하는 것이 좋습니다.

6. 과음 후에 며칠 정도 운동을 삼가야 하는가?

과음 후에는 개인의 상태에 따라 다르지만, 일반적으로는 최소한 1~2일 정도의 휴식이 필요합니다. 과음은 몸에 큰 부담을 주고 대사 기능을 저하시키기 때문에, 운동을 하기에는 적절하지 않은 상태입니다. 과음으로 인한 탈수와 전해질 불균형을 예방하기 위해 충분한 수분을 섭취하고, 몸을 휴식시켜야 합니다. 또한, 숙취로 인한 피로와 불편한 증상이 완화되어야 운동을 시작하는 것이 좋습니다. 하지만 이는 일반적인 가이드라인이며, 개인의 건강 상태와 술의 섭취량에 따라 달라질 수 있습니다. 만약 심한 숙취 증상이 지속되거나 건강에 불안이 있다면 의사와 상담하여 적절한 휴식 기간을 결정하는 것이 좋습니다. 중요한 점은 자신의 몸 상태를 잘 듣고 적절한 휴식을 취하는 것이 운동과 건강에 도움이 된다는 것입니다. 중요한 점은 자신의 몸 상태를 듣고 적절한 운동을 선택하는 것입니다. 숙취에 따른 신체 상태와 피로도를 고려하여 운동을 시작하고, 만약 불쾌한 증상이나 심각한 피로를 느낀다면 운동을 중단하고 휴식을 취하는 것이 중요합니다.

7. 술과 운동의 균형을 위한 결론

술과 운동은 건강을 위한 균형을 유지하는 데에 있어 중요한 역할을 합니다. 술을 마실 때에는 적절한 양을 유지하고, 술의 영향을 완화하기 위해 물을 충분히 마시는 것이 중요합니다. 또한, 술을 마신 다음날에는 가벼운 운동을 통해 술의 영향을 빨리 퇴출시킬 수 있습니다. 술과 운동은 서로 반대되는 요소처럼 보일 수 있지만, 올바른 방식으로 조화롭게 결합한다면 건강을 유지하는 데에 도움이 될 수 있습니다. 마지막으로, 술과 운동은 개인의 건강 상태와 목표에 따라 다를 수 있으므로, 본인의 신체 상태와 조언을 전문가와 상의하는 것이 좋습니다.

제 13장 운동과 피로회복: 몸과 마음을 되살리는 방법

1. 운동이 피로회복에 미치는 긍정적인 영향

운동은 우리의 신체적, 정신적 피로를 회복하는 데에 매우 중요한 역할을 합니다. 운동은 피로 회복을 돕는 다양한 방법으로 작용하며, 우리의 몸과 마음을 활력 있게 만들어줍니다.

운동은 혈류를 촉진시키고, 산소와 영양소를 신속하게 운반해 주는 역할을 합니다. 이로 인해 운동은 신진대사를 촉진시키고, 피로물질을 제거하는 데에 도움을 줍니다. 또한, 운동은 우리의 뇌에서 엔도르핀과 세로토닌 같은 쾌락을 유발하는 화학물질을 분비시키는 데에도 도움을 줍니다. 이러한 화학물질은 우리를 행복하고 기분 좋게 만들어주어 피로를 회복하는 데에 큰 도움을 줍니다.

2. 효과적인 운동 방법으로 피로회복을 촉진하기

운동을 통해 피로회복을 더욱 효과적으로 촉진하기 위해서는 몇 가지 요점을 유념해야 합니다. 첫째, 적절한 유산소 운동은 심장과 폐 기능을 향상하고, 혈액순환을 원활하게 해 줍니다. 이는 피로회복을 도와줄 뿐만 아니라, 우리의 전반적인 건강에도 도움을 줍니다. 둘째, 근력 운동은 근육을 강화시켜 우리의 체력을 향상하고, 우리를 더욱 강건하게 만들어줍니다. 마지막으로, 적절한 신체 활동과 휴식의 균형을 유지하는 것이 중요합니다. 지나치게 과도한 운동은 오히려 피로를 증가시킬 수 있으므로 적절한 휴식을 취하고 운동 계획을 세우는 것이 필요합니다.

3. 운동을 하면서 피로를 덜 느끼는 방법

1) 충분한 휴식: 운동 전후에 충분한 휴식을 취하는 것은 매우 중요합니다. 운동 전에는 충분한 휴식을 취하고, 운동 후에는 근육이 회복할 수 있는 충분한 휴식 시간을 확보해야 합니다. 이를 통해 근육의 피로를 최소화하고 다음 운동에 대비할 수 있습니다.

2) 올바른 영양 섭취: 올바른 영양 섭취는 운동 후의 회복에 매우 중요합니다. 충분한 단백질을 섭취하여 근육의 손상을 치유하고 강화하는 데 도움이 됩니다. 또한 수분 섭취도 중요하며, 신체가 탈수되지 않도록 충분한 물을 마셔야 합니다.

3) 체력에 맞는 운동 계획: 체력에 맞지 않는 과도한 운동은 피로를 증가시킬 수 있습니다. 따라서 개인의 체력과 목표에 맞는 운동 계획을 수립해야 합니다. 천천히 시작하여 점진적으로 운동 강도를 증가시키는 것이 좋습니다.

4) 다양한 운동 방식: 단조로운 운동은 피로를 증가시킬 수 있습니다. 다양한 운동 방식을 도입하여 운동의 재미를 높이고, 다양한 근육을 사용하는 것이 좋습니다. 예를 들어, 근력 운동, 유산소 운동, 스트레칭 등을 조합하여 전체적인 균형을 유지하는 것이 중요합니다.

5) 운동 전 사전 준비: 운동 전에 충분한 워밍업과 스트레칭을 통해 근육을 준비하는 것이 중요합니다. 이를 통해 운동 중에 발생할 수 있는 부상의 위험을 줄일 수 있습니다.

이러한 팁을 참고하여 운동을 하면서 피로를 최소화하고 효과적인 운동을 할 수 있습니다. 그러나 개인의 건강 상태와 목표에 따라 상담을 받는 것이 좋습니다. 전문가의 조언을 듣고 적절한 운동 계획을 수립하는 것이 중요합니다.

4. 피로회복에 좋은 운동 종류

1) 유산소 운동: 유산소 운동은 심혈관 기능을 향상하고, 혈액순환이 원활해지는 데 도움을 줍니다. 이는 근육의 회복과 피로를 감소시키는 데 도움이 됩니다. 걷기, 조깅, 수영, 자전거 타기 등의 유산소 운동을 포함하여 일주일에 150분 이상의 적절한 강도로 운동하는 것이 좋습니다.

2) 스트렝스 트레이닝: 스트렝스 트레이닝은 근력을 향상하고 근육을 성장하는 데 도움이 됩니다. 근육을 자극하여 손상된 근육 섬유를 치유하고 강화시키는 데 도움이 되며, 피로 회복을 촉진시킵니다. 본인의 체력과 목표에 맞는 중량을 사용하여 근육 그룹을 다양하게 운동하는 것이 중요합니다.

3) 요가 또는 필라테스: 요가와 필라테스는 몸의 균형과 유연성을 개선하는 데 도움이 됩니다. 이러한 운동은 근육을 스트레칭하고 강화하는 동시에 심신의 안정과 피로 회복에도 도움을 줍니다. 또한 호흡과 명상을 통해 스트레스를 해소하는 효과도 있습니다.

4) 활동 회복: 피로 회복을 위해 완전한 휴식보다는 활동적인 회복 방식도 효과적일 수 있습니다. 경량의 운동이나 저강도의 활동을 통해 혈액 순환을 촉진하고 근육의 회복을 돕는 것이 좋습니다. 예를 들어, 걷기, 자전거 타기, 스트레칭 등을 포함할 수 있습니다.

5. 운동 중간에 피로를 느낄 때 대처방법

1) 휴식과 호흡: 운동 중간에 피로를 느낄 때는 짧은 휴식을 취하고 깊게 호흡하는 것이 도움이 됩니다. 몇 분간의 휴식을 취하고, 근육들을 이완시키고 호흡을 정리함으로써 피로를 줄일 수 있습니다.

2) 수분 섭취: 운동 도중에는 수분을 적절히 섭취하는 것이 중요합니다. 신체가 탈수되면 피로감이 증가할 수 있습니다. 따라서 주기적으로 물을 마시고, 만일 필요하다면 전해질을 보충하는 음료도 고려해 보세요.

3) 운동 강도 조절: 운동 중간에 피로를 느낀다면, 운동 강도를 조절해 볼 수 있습니다. 너무 과도한 강도로 운동하고 있다면 속도를 줄이거나 중량을 줄이는 등의 조정을 해보세요. 몸이 휴식을 필요로 할 때에는 강도를 낮추는 것이 중요합니다.

4) 목표 설정과 동기부여: 운동 중간에 피로를 느낄 때는 목표를 명확히 설정하고, 동기부여를 유지하는 것이 도움이 됩니다. 자신에게 도전적인 목표를 설정하고, 그 목표를 이루기 위해 자신을 격려해 보세요. 동기부여를 유지하면 피로에 대한 긍정적인 마인드셋을 유지할 수 있습니다.

5) 전문가의 조언: 만일 지속적으로 운동 중간에 피로를 느낀다면, 전문적인 조언을 받아보는 것이 좋습니다. 개인의 상황과 목표에 맞는 운동 계획을 수립해 줄 전문가의 도움을 받아보세요. 피로를 느낄 때는 자신의 신체에 귀를 기울이고, 적절한 휴식과 조정을 통해 몸을 쉴 수 있도록 해 주세요. 이는 운동성과를 향상하고 부

상을 예방하는 데에도 도움이 됩니다.

6. 결론

운동은 우리의 피로를 극복하고 건강을 회복하는 데에 매우 효과적인 도구입니다. 운동은 우리의 몸과 마음을 강화시켜 주어 피로를 줄이고 에너지 수준을 높여줍니다. 그러나 운동의 효과를 극대화하기 위해서는 올바른 방법과 균형이 필요합니다. 우리는 운동을 통해 신체의 한계를 인지하고, 개인의 건강 상태에 맞는 운동 계획을 세워야 합니다. 이를 통해 운동은 단순히 체력을 키우는 수단을 넘어, 전반적인 웰빙과 삶의 질을 향상하는 역할을 할 수 있습니다.

제 14장 허리디스크와 운동방법, 그리고 매켄지 체조

1. 허리디스크란 무엇인가?

허리디스크는 척추 디스크가 손상되어 디스크 안의 젤 상태인 핵이 디스크의 외부로 돌출되는 상황을 의미합니다. 이 상태는 척추 중간에 위치한 부드러운 쿠션 역할을 하는 디스크의 외부 섬유질 링이 약화되거나 찢어짐으로써 발생합니다. 결과적으로, 이는 허리 통증을 비롯해 다리, 발목 통증 및 신경통을 포함한 여러 증상을 유발할 수 있으며, 환자의 일상생활과 활동에 큰 영향을 미칠 수 있습니다.

2. 운동이 허리디스크에 미치는 영향은?

운동은 허리디스크의 관리와 치료에 있어 필수적인 요소입니다. 규칙적이고 적절한 운동은 척추 주변 근육의 강도를 향상해 척추를 안정적으로 지지하며, 디스크에 가해지는 부담을 경감시켜 줍니다. 이러한 과정은 디스크 주변의 압력을 분산시켜 추가적인 손상을 방지하며, 통증의 감소와 같은 긍정적인 결과를 가져올 수 있습니다. 더불어, 운동은 체중 감소를 촉진하고 전반적인 유연성을 증가시켜 디스크가 겪는 압력의 감소를 돕습니다.

3. 적절한 운동 방법과 주의사항은?

허리디스크 환자에게 적합한 운동은 저강도 운동이 핵심입니다.

수영이나 요가, 그리고 걷기와 같은 운동은 척추에 과도한 압력을 가하지 않으면서 근육을 강화시키고, 척추에 필요한 지지력을 제공합니다. 이러한 운동은 디스크와 척추 주위의 근육을 유연하게 하여 척추의 정렬을 개선하고 통증을 완화하는데 도움을 줍니다. 그러나 허리디스크 환자가 고려해야 할 중요한 점은, 너무 과도한 운동이나 잘못된 운동 자세는 상태를 악화시킬 수 있다는 것입니다.

따라서 운동 프로그램을 시작하기 전에 의사나 물리치료사와 같은 전문가와 상담을 통해 개인의 상태에 맞는 적절한 운동 계획을 수립하는 것이 중요합니다.

4. 허리디스크 환자의 구체적인 운동방법과 매켄지 체조

1) 의사나 전문가 상담: 운동을 시작하기 전에 반드시 의사나 물리치료사와 상담하여 현재 상태에 맞는 안전하고 효과적인 운동 계획을 수립해야 합니다.

2) 안전한 자세 유지: 운동 시 올바른 자세를 유지하고, 허리에 과도한 압력을 가하거나 급격한 동작을 피해야 합니다.

3) 과도한 부하 회피: 허리디스크 환자는 과도한 체중을 들거나, 급격한 동작이나 과도한 운동을 피해야 합니다.

4) 천천히 시작하고 청취: 새로운 운동을 시작할 때는 천천히 시작하고 청취하며, 통증이나 불편함이 있는 경우 즉시 중단해야 합니다.

5) 꾸준한 운동: 일정한 꾸준한 운동을 통해 근력을 향상하고 체중을 관리하여 허리디스크 증상을 완화하는 데 도움이 됩니다. 이러한 주의사항을 지키면서 안전하고 효과적인 운동을 지속하는 것

이 중요합니다.

6) 메켄지 체조: 목과 척추를 뒤로 젖혀주는 동작으로 허리와 목의 근육을 풀어줍니다. 체조는 선 자세와 앉은 자세, 엎드린 자세에서도 가능합니다. 선 자세에서는 허리에 손을 댄 자세로 몸을 뒤로 젖히는 것입니다. 몸을 젖힌 상태에서 코로 숨을 들이쉬었다가 멈춘 다음 5초 정도 유지합니다. 같은 방법으로 의자에 앉은 자세에서 허리를 펴고 견갑골을 젖혀 팔을 뒤로한 다음 목과 허리를 천천히 뒤로 젖힐 수도 있습니다.

5. 허리디스크에 좋지 않은 운동 종류

허리디스크를 가진 분들이 특히 피해야 할 운동은 과도한 척추 압력을 가중시키거나 디스크에 부담을 주는 운동입니다. 예를 들어, 무거운 웨이트 리프팅, 무리한 체조, 빠른 골프 스윙, 무리한 러닝이나 점프 운동 등이 허리디스크에 부정적인 영향을 미칠 수 있습니다. 또한, 허리를 과도하게 굽히거나 비틀거나, 급격한 동작을 수반하는 운동도 지양해야 합니다. 이러한 운동들은 척추에 과도한 압력을 가하거나 디스크를 더 손상시킬 수 있으므로, 허리디스크를 가진 분들은 이러한 운동을 피하고, 전문가의 조언을 듣고 적절한 운동 계획을 수립하는 것이 중요합니다.

6. 허리디스크가 있으면 스트레칭이 도움이 되는가?

허리디스크를 가지고 계신 분들에게는 적절한 스트레칭이 매우 도움이 될 수 있습니다. 적절한 스트레칭을 통해 근육의 유연성을 늘리고 척추 주변 근육을 강화하여 허리디스크로 인한 통증을 완화하고 증상을 개선하는 데 도움을 줄 수 있습니다. 그러나 허리디스크를 가진 분들이 스트레칭을 할 때에는 조심해야 합니다. 너무 과도한 스트레칭이나 잘못된 자세의 스트레칭은 오히려 증상을 악화시킬 수 있으므로, 전문가의 조언을 듣고 적절한 스트레칭 방법을 배우는 것이 중요합니다. 물리치료사나 전문가의 지도를 받아 안전하고 효과적인 스트레칭을 실시하는 것이 좋습니다.

7. 결론

허리디스크와 운동은 서로 밀접하게 연관되어 있으며, 적절한 운동은 허리디스크 증상의 완화 및 예방에 매우 중요한 역할을 할 수 있습니다. 운동을 통해 허리 주변의 근육을 강화하고, 체중을 관리하며, 전반적인 유연성을 향상해야 합니다. 그러나 반드시 전문가의 조언을 듣고 적절한 운동을 선택하고 신중하게 실시해야 합니다. 그리고 허리디스크가 너무 좋지 않으면 운동을 아예 안 하는 것이 좋으며, 평상시 매켄지 자세를 생활화하면 허리디스크는 수술 없이 좋아질 수 있습니다.

제 15장 비타민과 운동: 건강한 삶을 위한 필수 조합

비타민과 운동은 우리 몸을 건강하게 유지하는 데 필수적인 요소입니다. 이 두 가지는 서로 보완적인 관계에 있으며, 적절한 비타민 섭취와 규칙적인 운동은 면역력 강화, 에너지 수준 증가, 그리고 전반적인 건강 개선에 기여합니다.

1. 비타민의 중요성

1) 필수 영양소: 비타민은 우리 몸이 제대로 기능하도록 돕는 필수 영양소입니다. 각 비타민은 특정한 역할을 하며, 부족할 경우 다양한 건강 문제가 발생할 수 있습니다.

2) 에너지 생성과 면역력: 비타민 B군은 에너지 생성에 중요하며, 비타민 C와 D는 면역 체계를 강화하는 데 필수적입니다. 비타민 A와 E는 피부와 눈 건강을 지키는 데 도움을 줍니다.

2. 운동의 효과

1) 심혈관 건강 개선: 규칙적인 운동은 심장 건강을 개선하고 고혈압, 심장병 등의 위험을 줄일 수 있습니다.

2) 정신 건강 증진: 운동은 스트레스를 감소시키고, 우울증과 불안을 완화하는 데 도움을 줍니다. 또한, 수면의 질을 향상하고, 기분을 좋게 만듭니다.

3. 비타민과 운동의 상호작용

1) 운동 시 비타민 요구량 증가: 규칙적인 운동을 하는 사람들은 비타민 B군과 비타민 C, D의 필요량이 증가합니다. 이는 에너지 생성과 근육 회복, 면역 체계 강화에 필요하기 때문입니다.

2) 균형 잡힌 식단의 중요성: 운동을 규칙적으로 하는 사람들은 충분한 비타민을 섭취하기 위해 균형 잡힌 식단을 유지해야 합니다. 특히, 과일, 채소, 전곡류, 단백질이 풍부한 식품을 포함시키는 것이 중요합니다.

4. 가장 효과적인 비타민

1) 비타민 D: 비타민 D는 뼈 건강을 지원하고 면역 체계를 강화하는 데 도움을 줍니다. 햇빛 노출을 통해 자연적으로 얻을 수 있으며, 일부 식품과 보충제를 통해서도 섭취할 수 있습니다. 비타민 D는 체내에서 칼슘 흡수를 돕고, 뼈의 건강을 유지하는 데 필수적입니다.

2) 비타민 B: 특히 비타민 B군은 에너지 대사, 뇌 기능, 적혈구 형성 등 다양한 신체 기능에 중요합니다. 비타민 B는 스트레스 관리와 피로 회복에도 도움을 줄 수 있습니다.

5. 가장 효과적인 운동 유형

1) 걷기: 걷기는 가장 간단하고 접근하기 쉬운 운동 중 하나로, 심혈관 건강을 개선하고 체중 관리에 도움을 줍니다.

2) 인터벌 트레이닝: 고강도 인터벌 트레이닝(HIIT)은 짧은 시간 동안 고강도 운동을 실시한 후 짧은 휴식을 취하는 방식으로, 신체의 지방 연소를 촉진하고 심폐 기능을 향상합니다.

6. 비타민이 풍부한 식품

1) 비타민 B군이 풍부한 식품

(1) 시금치: 비타민 B2, B9(엽산), 비타민 C 등이 풍부하며, 철분, 칼슘, 마그네슘도 함유되어 있습니다. 엽산은 DNA 합성에 필수적이며, 혈청 호모시스테인 농도를 상승시켜 동맥경화 및 심혈관계 질환에 영향을 미칠 수 있으므로 충분한 섭취가 중요합니다.

(2) 굴, 조개, 계란, 우유: 비타민 B12가 풍부한 음식으로, 시금치와 함께 섭취할 경우 동맥경화와 심혈관 질환 예방에 도움이 됩니다.

2) 비타민 E가 풍부한 식품

(1) 아몬드: 비타민 E가 많이 들어있는 대표적인 식품입니다. 아몬드 한 줌(약 23알·30g)에는 한국인에게 필요한 하루 비타민 E 권장량의 73%에 해당하는 양이 들어있습니다. 비타민 E는 천연 항산화 성분으로 작용하여 세포막을 강화하고 항체의 생산 능력을 높입니다.

비타민은 우리 몸에 필수적인 영양소이며, 다양한 식품을 통해 섭취하는 것이 좋습니다. 위에 언급된 식품들 외에도 다양한 과일, 채소, 견과류 등을 균형 있게 섭취하여 건강을 유지해 보세요.

7. 비타민 보충제 선택 가이드

비타민 보충제를 선택할 때는 자신의 건강 상태, 필요한 비타민 종류, 그리고 선호하는 보충제 형태(알약, 캡슐, 액체 등)를 고려해야 합니다. 비타민은 크게 수용성 비타민과 지용성 비타민으로 나뉘며, 각각의 특성에 따라 섭취 방법이 달라질 수 있습니다.

1) 수용성 비타민

특징: 몸에서 쉽게 배출되므로 꾸준한 섭취가 필요합니다.

예시: 비타민 B군(티아민 B1, 리보플라빈 B2, 나이아신 B3, 판토텐산 B5, 피리독신 B6, 바이오틴 B7, 엽산 B9, 코발라민 B12), 비타민 C

2) 지용성 비타민

특징: 체내에 저장되어 필요할 때 사용되므로 과다 섭취에 주의해야 합니다.

예시: 비타민 A, 비타민 D, 비타민 E, 비타민K

3) 비타민 보충제 선택 시 고려 사항

(1) 개인의 영양 상태: 특정 비타민 결핍 상태인지, 혹은 특정 건강 문제를 해결하기 위한 목적인지 확인하세요.

(2) 제품의 형태: 알약, 캡슐, 액체, 분말 등 자신이 선호하고 편리하게 섭취할 수 있는 형태를 선택하세요.

(3) 품질 인증: 제품이 신뢰할 수 있는 기관의 품질 인증을 받았는지 확인하세요.

8. 결론

비타민과 운동은 건강한 삶을 위한 두 축입니다. 균형 잡힌 식단으로 필요한 비타민을 섭취하고, 규칙적인 운동으로 신체를 단련시키면, 더 건강하고 활기찬 삶을 영위할 수 있습니다. 비타민과 운동은 서로 보완적인 관계에 있으며, 균형 잡힌 식단과 규칙적인 운동은 건강한 생활 방식을 유지하는 데 필수적입니다. 자신에게 맞는 비타민과 운동 유형을 찾아 건강한 생활을 실천해 보세요.

제 4부 스포츠와 인문학

　스포츠와 인문학은 겉보기에는 상반된 분야처럼 보이지만, 실제로
는 깊은 연관성을 지니고 있다. 스포츠는 신체적 활동을 중심으로
하는 반면, 인문학은 인간의 문화, 역사, 철학 등을 탐구하는 학문
이다. 그러나 두 영역 모두 인간의 경험과 사회적 관계를 이해하는
데 중요한 역할을 한다.

　스포츠는 단순한 신체 활동을 넘어, 사회 문화적 현상으로 자리
잡고 있다. 예를 들어, 올림픽 경기나 월드컵 축구 대회와 같은 국
제 스포츠 이벤트는 단순한 경쟁을 넘어, 국가 간의 관계, 문화 교
류, 그리고 정치적 메시지를 담고 있다. 이러한 이벤트들은 사람들
에게 국가 정체성을 강화시키고, 세계 시민으로서의 연대감을 형성
하게 한다. 따라서 스포츠를 이해하는 것은 현대 사회를 이해하는
데 필수적이다.

　인문학적 관점에서 스포츠를 연구하면, 우리는 다양한 인간 행동
의 동기와 사회적 구조를 더 깊이 이해할 수 있다. 예를 들어, 고대
그리스의 올림픽 경기는 단순한 체육 대회가 아니라, 신들을 기리

고 도시 국가 간의 평화를 유도하는 중요한 사회적 의식이었다. 현대 스포츠에서도 마찬가지로, 팀의 승리나 패배는 단순한 경기 결과를 넘어서, 팬들의 감정, 지역 사회의 단결, 그리고 개인의 정체성 형성에 깊은 영향을 미친다.

또한, 스포츠는 문학, 예술, 철학 등 다양한 인문학적 주제와도 연결된다. 예를 들어, 헤밍웨이의 작품에서는 권투와 투우와 같은 스포츠가 중요한 상징적 역할을 한다. 스포츠는 인간의 한계에 도전하고, 승리와 패배의 본질을 탐구하는 철학적 질문을 제기하기도 한다. 예술가들은 스포츠를 주제로 한 작품을 통해 인간의 신체적 아름다움과 역동성을 표현하기도 한다.

스포츠와 인문학은 서로 보완적인 관계에 있다. 스포츠는 인문학적 탐구의 중요한 주제가 되고, 인문학은 스포츠의 사회적, 문화적 의미를 깊이 있게 해석하는 도구를 제공한다. 이러한 상호작용을 통해 우리는 인간 경험의 복잡성과 다층적인 의미를 더 잘 이해할 수 있다. 이에 제 4부에서는 스포츠의 과거, 현재, 그리고 미래의 방향성에 대하여 깊은 사고를 할 수 있도록 스포츠와 인문학에 대하여 글쓰기 하였다.

제1장 인생을 스포츠로 비유한 의미와 그 중요

1. "인생은 마라톤, 목표를 향해 지속적인 노력이 필요하다"

인생을 마라톤과 비유하면, 우리는 목표를 향해 달리는 선수들과 같습니다. 마라톤은 긴 거리를 달리는 도전적인 경기로, 선수들은 체력과 인내력을 견디며 결승선을 향해 달립니다. 마찬가지로 인생에서도 목표를 세우고 그것을 달성하기 위해 지속적인 노력이 필요합니다. 힘들고 어려운 시기에도 포기하지 않고 계속 달려 나가야만 성공에 도달할 수 있습니다. 스포츠와 인생을 연결시키는 여러 가지 공통점은 다음과 같습니다.

1) 목표 설정: 스포츠에서의 목표는 승리이고, 인생에서의 목표는 성공과 행복입니다. 어떤 목표를 세우든, 스포츠나 인생에서 모두 목표를 설정하고 그것을 향해 노력하며 성취하려는 의지가 필요합니다.

2) 지속적인 노력: 스포츠에서는 선수들이 지속적으로 훈련하고 노력하여 자신의 실력을 향상합니다. 인생에서도 성공을 위해 노력하는 것이 필요하며, 어떤 어려움이 있더라도 포기하지 않고 꾸준한 노력을 통해 목표를 이루어낼 수 있습니다.

3) 협력과 소통: 스포츠에서는 팀원들과의 협력과 원활한 소통이 승리에 중요한 역할을 합니다. 인생에서도 다른 사람들과의 협력과

소통이 성공과 행복에 큰 영향을 미칩니다. 협력과 소통을 통해 서로를 이해하고 도움을 주고받으면서 더 큰 성과를 이룰 수 있습니다.

4) 성장과 배움의 과정: 스포츠에서는 승패보다는 선수들의 성장과 배움이 중요시됩니다. 인생에서도 실패와 역경을 만났을 때 그것을 배움의 기회로 삼고 성장할 수 있는 자세가 필요합니다. 스포츠에서 얻은 투지와 노력은 인생의 다른 영역에서도 활용될 수 있습니다. 이러한 면에서 스포츠와 인생은 많은 공통점을 가지고 있습니다. 이를 통해 스포츠를 비유로 사용하여 인생에 대한 깊은 의미와 가치를 이해할 수 있습니다.

2. "인생은 팀 스포츠, 협력과 소통이 성공의 핵심이다"

인생을 팀 스포츠와 비유하면, 우리는 한 팀의 일원으로서 협력과 소통이 필요합니다. 팀 스포츠는 개인의 능력과 노력뿐만 아니라 팀원들과의 원활한 소통과 협력이 성공의 핵심입니다. 마찬가지로 인생에서도 우리는 다른 사람들과 협력하고 소통하며 함께 성장해야 합니다. 우리의 성공과 행복은 다른 사람들과의 관계와 협력에 크게 의존합니다.

3. "인생은 승패가 아닌 성장과 배움의 과정이다"

인생을 승패가 아닌 성장과 배움의 과정으로 보는 것은 중요합니다. 스포츠에서도 승패가 중요하지만, 더 중요한 것은 경기를 통해 얻는 성장과 배움입니다. 실패와 역경을 만나더라도 그것을 배움의 기회로 삼고 성장할 수 있다면, 인생에서 더 큰 성공과 만족을 느낄 수 있습니다. 스포츠에서 배운 투지와 노력은 인생의 다양한 영역에서도 활용될 수 있습니다. 인생을 스포츠로 비유할 때, 한계를 극복하는 방법은 다양합니다. 아래에 몇 가지 효과적인 방법은 다음과 같습니다.

1) 목표의 재설정: 한계에 직면했을 때, 먼저 현재의 목표와 방향을 재평가하고 재설정하는 것이 중요합니다. 목표를 다시 조정하고 새로운 도전을 받아들이면서 한계를 극복할 수 있습니다.

2) 긍정적인 마인드셋: 긍정적인 마인드셋은 한계 극복에 매우 중요합니다. 자신에게 가능성을 믿고, 실패를 학습의 기회로 받아들이는 태도를 가지는 것이 중요합니다. 긍정적으로 생각하고 자신의 잠재력을 믿는다면 한계를 뛰어넘을 수 있습니다.

3) 지속적인 노력과 훈련: 한계를 극복하기 위해서는 지속적인 노력과 훈련이 필요합니다. 스포츠에서 선수들은 끊임없이 훈련하고 자신의 실력을 향상합니다. 인생에서도 마찬가지로, 한계를 극복하려면 꾸준한 노력과 자기 계발이 필요합니다.

4) 도움과 지원의 수용: 한계를 극복하는 데에는 다른 사람들의 도움과 지원을 받는 것이 중요합니다. 가족, 친구, 멘토, 코치 등 도움을 주는 사람들의 조언과 격려를 받으면서 한계를 극복할 수 있습니다. 혼자서 모든 것을 해결하려 하지 말고, 도움을 받을 준비를 하세요.

5) 실패를 긍정적인 경험으로 삼기: 한계를 극복하려면 실패를 긍정적인 경험으로 삼을 수 있어야 합니다. 실패를 학습의 기회로 보고, 어떤 점에서 부족했는지 돌아보고 개선해 나가는 것이 중요합니다. 이를 통해 한계를 극복하고 성장할 수 있습니다. 이러한 방법

들을 적용하여 한계를 극복하면, 더 나은 결과를 얻고 더 나은 성취를 이룰 수 있을 것입니다. 스포츠에서의 노력과 열정을 인생에 적용하여 한계를 극복하는 여정을 즐기며 성장해 나가시기 바랍니다.

4. 결론

인생을 스포츠로 비유하면, 우리는 목표를 향해 지속적인 노력과 협력, 성장과 배움의 과정을 경험하게 됩니다. 마라톤 선수처럼 목표를 향해 끊임없이 달려 나가는 인내심과 팀 스포츠 선수처럼 협력과 소통을 통해 함께 성장하는 능력을 갖추는 것이 중요합니다. 또한, 승패보다는 성장과 배움에 집중하여 실패와 역경을 극복하는 자세를 갖추어야 합니다. 이러한 마음가짐으로 인생을 즐기며 성공과 행복을 찾아갈 수 있을 것입니다.

제 2장 스포츠비리에 대한 이해와 대응방안

1. 스포츠비리란 무엇인가?

스포츠비리는 스포츠 경기에서 공정하지 않은 행위나 부정행위를 의미합니다. 경기 결과에 악영향을 미치거나 공정한 경기 환경을 손상시키는 행위로, 스포츠의 정신과 원칙을 훼손시키는 요소입니다. 스포츠비리는 승부 조작, 스포츠 불법도박, 뇌물 등과 함께 조직사유화, 인사비리, 권한남용, 회계부정, 횡령배임, 금품수수, 편파판정, 심판매수, 입시비리, 부정입학, 사문서 위조 등 다양한 형태로 나타날 수 있습니다.

2. 스포츠비리의 영향과 문제점

스포츠비리는 스포츠의 공정성과 신뢰도를 훼손시키는 심각한 문제입니다. 경기 결과의 조작으로 인해 팬들의 신뢰를 상실하게 되고, 선수들과 팀의 명예를 훼손시킵니다. 또한, 도박과 뇌물 등 경제적인 이익을 목적으로 하는 행위로 인해 스포츠의 정신을 훼손시키고 사회적으로도 부정적인 영향을 미칠 수 있습니다.

3. 스포츠비리 방지를 위한 전략과 대응 방안

스포츠비리 방지를 위해서는 다음과 같은 전략과 대응 방안이 필요합니다. 첫째, 강화된 법규제와 법 집행으로 스포츠비리를 근절해야 합니다. 둘째, 투명하고 공정한 경기 운영을 위해 감독과 심판의 엄격한 교육과 감독이 필요합니다. 셋째, 선수들과 관계자들의 윤리의식을 강화하고, 교육과 교류를 통해 스포츠비리에 대한 인식을 높여야 합니다. 이러한 스포츠비리 예방을 위해서 현재 우리나라에서는 스포츠윤리센터에서 스포츠비리예방교육을 하고 있습니다.

4. 결론

스포츠비리는 스포츠의 가치와 정신을 훼손시키는 심각한 문제입니다. 이를 근절하기 위해서는 법규제 강화와 공정한 경기 운영, 윤리의식 강화 등 다양한 대응 방안이 필요합니다. 스포츠비리 없는 건전한 스포츠 문화를 위해 우리는 끊임없는 노력이 필요하며, 관련 기관과 개인의 적극적인 참여와 협력이 필요합니다.

제 3장 스포츠와 문화: 현대사회에서의 상호작용

1. 스포츠의 역할과 중요성

스포츠는 우리 사회에서 매우 중요한 역할을 수행합니다. 우선, 스포츠는 개인과 집단의 건강과 웰빙을 증진시키는데 도움을 줍니다. 운동을 통해 신체적인 건강을 유지하고 강화할 수 있으며, 경기와 팀 활동을 통해 사회적인 관계를 형성하고 유대감을 느낄 수 있습니다. 스포츠와 문화는 서로 긴밀하게 얽혀있으며, 이 두 가지 요소는 우리의 삶에 깊은 영향을 끼치고 있습니다. 문화는 스포츠를 통해 다양성을 받아들이고 인류의 역동성을 표현하며, 스포츠는 문화를 통해 사회적인 가치와 정체성을 형성합니다. 이 글에서는 이러한 상호작용이 어떻게 우리의 일상과 가치관에 영향을 미치는지 살펴보고자 합니다.

2. 스포츠와 문화의 상호 영향

스포츠와 문화는 서로 긴밀하게 연결되어 있습니다. 스포츠는 문화적인 요소와 함께 발전하며, 특정한 문화의 가치와 신념을 대변하고 전달하는 역할을 수행합니다. 또한, 스포츠 경기와 이벤트는 문화적인 축제로서의 역할을 하며, 사회 구성원들이 함께 참여하고 공유할 수 있는 공간을 제공합니다. 스포츠는 단순한 경기만이 아니라, 문화적인 변화와 사회적 연대의 수단으로 작용합니다. 특정 운동이나 팀이 문화적인 상징으로 부상함에 따라, 그 영향은 팬들과 사회에 깊은 흔적을 남기게 됩니다. 이는 우리가 속한 문화와 사회에 대한 정체성 의식을 형성하며, 스포츠를 통해 소통과 공감을 나누게 됩니다.

3. 스포츠 문화의 다양성과 사회적 가치

스포츠 문화는 다양성과 사회적 가치를 포함하고 있습니다. 다양한 종목과 대회는 사회의 다양한 계층과 문화적 배경을 가진 사람들이 함께 참여할 수 있는 기회를 제공합니다. 이를 통해 상호 이해와 문화 교류가 이루어지며, 사회적인 통합과 다양성을 존중하는 문화가 형성됩니다. 스포츠 이벤트는 단순한 경기장에서 벗어나, 문화적인 축제로서의 역할을 수행하고 있습니다. 세계적인 스포츠 대회는 문화 간의 다리 역할을 하며, 다양한 문화가 만나 교류하는 특별한 장소가 됩니다. 이는 우리가 서로 다른 문화를 경험하고 이해하는 기회를 제공하며, 글로벌한 연결성을 촉진하는 중요한 역할을 합니다.

4. 결론

스포츠와 문화는 현대 사회에서 상호작용하며 중요한 역할을 합니다. 스포츠는 건강과 웰빙을 촉진하고, 문화적 가치와 신념을 전달하는 도구로 사용됩니다. 또한, 다양한 종목과 대회를 통해 사회적인 통합과 다양성이 존중되는 문화가 형성됩니다. 이러한 이점들을 고려하여 우리는 스포츠와 문화를 적극적으로 지원하고 발전시키는 노력을 계속해야 합니다.

제 4장 스포츠와 문학: 우리 삶에 미치는 영향과 예술적 가치

1. 스포츠와 문학의 만남: 새로운 시각으로의 여정

스포츠와 문학은 보기에는 상반된 영역처럼 보일 수 있지만, 실제로는 많은 공통점을 가지고 있습니다. 스포츠는 우리에게 열정과 경쟁, 희열을 안겨주는 동시에, 인간의 욕망과 노력, 승리와 실패의 이야기를 담고 있습니다. 문학은 이와 마찬가지로 인간의 삶과 가슴속 감정을 표현하고 공유하는 매체입니다. 스포츠와 문학이 만나면서, 우리는 더욱 풍요로워지고 다양한 경험을 할 수 있게 되었습니다. 스포츠와 문학은 보편적인 테마와 경험을 공유하며 서로를 풍부하게 만들어 가는데, 이러한 만남은 강력한 인문학적 영감을 낳습니다. 운동경기의 긴장감과 선수들의 감정을 문학적으로 표현하면서, 독자들은 스포츠를 통해 새로운 시각으로 세계를 바라볼 수 있는 기회를 얻게 됩니다. 이러한 창의적 교감은 문학과 스포츠의 결합이 어떻게 우리의 일상에 깊은 영향을 미치는지를 탐구하는 여정을 안내합니다.

2. 스포츠문학의 감동과 공감

스포츠문학은 우리에게 감동과 공감을 전달하는 역할을 합니다. 스포츠에 관한 문학 작품은 선수들의 열정과 투지, 그리고 이기고 싶은 욕망을 다루며 독자들에게 큰 감동을 선사합니다. 또한, 선수들의 성장 이야기나 역경을 극복하는 과정은 독자들과 공감대를 형성하며 우리의 삶에 용기와 희망을 전해줍니다. 스포츠문학은 우리가 삶의 고난과 역경을 극복하는 데에 도움을 주는 중요한 도구가 될 수 있습니다. 스포츠문학은 종종 우리에게 히어로의 이야기를 제시합니다. 선수들은 우리의 꿈과 욕망을 대표하는 존재로 부상하며, 그들의 이야기는 독자들에게 용기, 희망, 그리고 끊임없는 노력의 중요성을 가르칩니다. 이는 우리가 히어로를 필요로 하는 본질적 이유를 탐색하며, 스포츠의 가치를 인문학적 시각에서 이해하게 하는 계기가 됩니다.

3. 스포츠문학의 가치와 의미

스포츠문학은 우리에게 다양한 가치와 의미를 전달합니다. 첫째, 스포츠문학은 우리에게 스포츠의 역사와 문화를 알리는 역할을 합니다. 우리는 스포츠문학을 통해 과거와 현재의 스포츠 문화를 이해하고, 그 속에 담긴 가치를 발견할 수 있습니다. 둘째, 스포츠문학은 우리에게 인간성과 도덕적 가치를 전달합니다. 스포츠를 통해 배우는 공정함, 협동심, 도전정신은 우리의 삶에 긍정적인 영향을 미치며, 이러한 가치를 문학을 통해 더욱 깊게 이해할 수 있습니다. 문학은 예술의 한 형태로서 스포츠를 통해 새로운 예술적 경지를 찾아갑니다. 경기장의 열기, 선수들의 열정, 그리고 팬들의 환호 속에서 우리는 예술적 감동을 느낄 수 있습니다. 스포츠문학은 이러한 순간들을 문학적으로 해석하고, 우리가 평범한 순간에도 예술을 발견할 수 있는 미학적 경험을 선사한다.

4. 결론

스포츠문학은 우리에게 스포츠와 문학의 만남을 통해 감동과 공감을 전달하며, 다양한 가치와 의미를 제공합니다. 스포츠문학을 통해 우리는 스포츠와 문학의 매력적인 세계에 빠져들 수 있으며, 이를 통해 우리의 삶에 영감과 도약을 줄 수 있습니다.

제 5장 스포츠와 철학: 운동장 너머의 깊은 생각

1. 스포츠와 인간 정신의 교감

스포츠는 우리가 육체적으로 활동하고 경쟁하는 공간이지만, 그 안에서 철학적인 측면을 찾을 수 있습니다. 인간의 정신은 경기장 너머에서도 확장되며, 스포츠는 우리의 가치관, 도덕적 사고, 그리고 세계관을 형성하는 중요한 도구로 작용합니다. 예를 들어, 경쟁에서 배우는 공정함과 팀워크는 사회적 책임과 협력의 중요성을 강조합니다. 또한, 팀 스포츠에서는 협력, 리더십, 공정성 등의 가치가 강조되며, 개인 스포츠에서는 자기 통제, 목표 설정, 규율적인 훈련 등의 가치가 강조됩니다. 이러한 철학적인 가치들은 스포츠를 통해 개인과 사회의 발전에 긍정적인 영향을 미치고 있습니다.

2. 경기의 미학과 논리, 그리고 인간 존재의 이해

스포츠에서 발생하는 순간적인 아름다움은 마치 예술 작품과 같습니다. 농구에서의 우아한 패스, 축구에서의 정교한 드리블, 그리고 야구에서의 완벽한 피칭은 우리에게 미적인 즐거움을 주며, 동시에 경기의 논리와 전략을 보여줍니다. 이는 철학의 논리적인 사고와 공유하는 면이 있는 것입니다. 스포츠에서는 논리와 감성이 조화롭게 어우러져 경기를 더욱 풍부하게 만듭니다. 스포츠는 인간의 존재와 관련된 다양한 철학적인 주제를 탐구하는데 도움을 줍니다. 경쟁, 승리와 패배, 목표 달성 등의 주제를 통해 인간의 욕구와 도덕적 선택, 자아실현에 대한 이해를 높일 수 있습니다. 또한, 스포츠는 시간과 공간의 제약을 통해 인간의 한계와 도전, 성취의 경험을 제공하여 인생의 의미와 목적에 대한 사색을 유도합니다. 이러한 과정을 통해 스포츠는 우리가 살아가는 현실 세계에서의 의미와 가치를 탐구하는 도구가 될 수 있습니다.

3. 헤게모니와 스포츠의 상호작용 및 사회, 문화의 형성

스포츠는 사회의 헤게모니와 상호작용하며 사회적인 문제들을 반영합니다. 선수들의 선택, 미디어의 관심, 그리고 관중들의 열정은 사회적인 토론의 중심이 되기도 합니다. 이를 통해 스포츠는 정치, 경제, 문화 등 다양한 분야와 연결되어 있습니다. 이러한 상호작용은 철학적인 시각에서 스포츠가 어떻게 사회를 형성하고 변화시키는지를 고찰할 수 있는 기회를 제공합니다. 스포츠는 사회적 관계와 문화의 형성에도 중요한 역할을 합니다. 스포츠는 개인과 개인, 그리고 그룹과 그룹 간의 소통과 협력을 촉진시키는 역할을 합니다. 경기 중의 상호 작용이나 팀의 협력을 통해 사회적 관계의 원리와 상호의존성을 경험할 수 있습니다. 또한, 스포츠는 문화의 형성과 전파에도 영향을 미칩니다. 특정 스포츠 활동이 특정 지역이나 국가의 문화와 연관되거나, 특정 스포츠 스타가 사회적 아이콘이 되는 등의 현상을 통해 문화적 가치와 정체성의 형성에 영향을 미칩니다.

4. 결론

스포츠와 철학은 물리적 활동과 정신적 탐구의 조화로 다가갈 수

있는 예외적인 분야입니다. 경기장은 우리에게 즐거움을 주는 동시에, 더 깊은 사유와 토론을 유발합니다. 스포츠의 미, 논리, 그리고 사회적 상호작용은 철학적 지형을 탐험하는 동시에 우리의 일상을 더 풍요롭게 만듭니다. 그래서 우리는 운동장 너머의 철학적 세계에서 새로운 통찰력을 얻을 수 있습니다. 즉, 스포츠와 철학은 서로 깊은 관련성을 가지고 있습니다. 스포츠는 체육활동의 철학적 의의와 가치, 인간의 존재 이해, 사회적 관계와 문화 형성 등 다양한 측면에서 철학적인 탐구와 이해를 돕습니다. 더불어 스포츠는 우리가 살아가는 현실 세계에서의 의미와 가치를 탐색하고, 개인과 사회의 발전에 긍정적인 영향을 미치는 중요한 도구입니다. 따라서 우리는 스포츠를 통해 철학적인 사고를 발전시키고 인간의 삶에 더욱 깊이 있는 의미를 부여할 수 있습니다.

제 6장 스포츠와 행복: 건강과 즐거움의 만남

1. 스포츠의 중요성과 행복에 미치는 영향

스포츠는 우리의 건강과 행복에 막대한 영향을 미칩니다. 운동을 통해 우리의 신체적인 건강을 유지하고 강화할 수 있을 뿐만 아니라, 정신적인 면에서도 큰 영향을 줍니다. 스포츠를 즐기면 스트레스를 해소하고 긍정적인 감정을 느낄 수 있으며, 자신감과 동기부여를 얻을 수 있습니다. 또한 스포츠는 우리에게 즐거움과 성취감을 제공합니다. 경기에서의 승리, 개인적인 목표 달성, 또는 동료들과의 협력을 통해 얻는 성취는 우리를 행복으로 이끄는 원동력이 됩니다. 뿐만 아니라, 스포츠는 스트레스 해소와 긍정적 에너지 공급의 중요한 출처로 작용합니다. 우리는 경쟁과 협력을 통해 자신을 발전시키며, 이로써 행복한 마음을 얻을 수 있습니다.

2. 스포츠를 통한 건강한 삶과 긍정적인 마인드

스포츠는 건강한 삶을 유지하는 데에 큰 도움을 줍니다. 꾸준한 운동은 심혈관 건강을 증진시키고 면역력을 강화하는 데 도움이 됩니다. 또한, 운동을 통해 몸을 움직이고 에너지를 소비함으로써 좋은 수면을 취할 수 있습니다. 이러한 건강한 습관은 우리의 삶에 긍정적인 영향을 미치며, 행복감을 높여줍니다. 현대 사회에서 우리는 바쁜 일상에 쫓겨 살아가고 있습니다.

이에 따라 스포츠는 우리 삶에 활력을 불어넣어 주는 중요한 측면 중 하나입니다. 스포츠는 우리에게 유익한 신체적 활동을 제공하며, 이를 통해 건강한 삶의 기반을 다지는데 일조합니다. 또한, 스포츠는 사람들 간의 소통과 협력을 촉진하여 삶의 품질을 향상합니다.

3. 스포츠의 즐거움과 사회적 연결망의 형성

스포츠는 사회적인 연결망을 형성하는 데에도 큰 역할을 합니다. 팀 스포츠를 즐기면 팀원들과의 협력과 소통을 통해 친밀감을 형성하고, 사회적인 관계망을 넓힐 수 있습니다. 또한, 스포츠 경기를 관람하거나 참여함으로써 사회적인 모임에 참여하고 다양한 사람들과 교류할 수 있습니다. 이러한 사회적인 연결은 우리에게 즐거움과 만족감을 제공하여 행복감을 증진시킵니다.

스포츠의 매력은 종류에 따라 다양하게 나타납니다. 어떤 이는 경쟁을 통해 흥분을 느끼고, 어떤 이는 운동을 통해 건강을 유지하며 행복을 느낍니다. 또한, 스포츠는 예술적인 면모를 가진 예술 종목과도 연관이 있어 예술적 감각을 증진시키고 창의성을 키우는 데 도움이 됩니다. 다양한 스포츠를 경험함으로써 우리는 다양한 측면에서 행복을 찾을 수 있습니다.

4. 결론

스포츠는 우리의 건강과 행복에 많은 영향을 미치는 중요한 요소입니다. 우리는 스포츠를 통해 건강한 삶을 유지하고 긍정적인 마인드를 갖출 수 있으며, 사회적인 연결과 즐거움을 경험할 수 있습니다. 그러므로 우리는 일상에서 스포츠를 적극적으로 참여하고 즐

기는 것이 중요하며, 이를 통해 더욱 행복한 삶을 즐길 수 있습니
다.

제 7장 우리나라 스포츠의 역사와 발전

1. 고대부터 현대까지

우리나라 스포츠의 역사는 고대부터 현대까지 이어져왔습니다. 고려시대 이전에도 이미 우리 조상들은 다양한 스포츠 활동을 즐겼으며, 이를 통해 건강과 국민정신을 유지하고 발전시켰습니다. 고려시대에는 무예와 수박희, 유도 등이 발달하였으며, 조선시대에는 씨름과 활쏘기, 제기차기 등이 인기를 끌었습니다. 이러한 전통 스포츠는 우리나라 스포츠의 기반이 되었으며, 현대 스포츠의 발전에도 영향을 미쳤습니다. 특히 2002년 월드컵은 한국 스포츠 역사에서 가장 재미있고 감동적인 이야기 중 하나로 기억되고 있습니다. 한국 국가대표팀의 놀라운 성과는 국민들에게 큰 자부심과 희망을 안겨주었으며, 한국 스포츠 역사에 긍정적인 영향을 미쳤습니다. 이러한 이야기는 한국 스포츠의 역사와 함께 전 세계에 알려진 재미있는 이야기 중 하나입니다.

2. 한민족의 전통 스포츠

우리나라는 다양한 전통 스포츠를 보유하고 있습니다. 그중에서도 씨름은 가장 유명한 전통 스포츠 중 하나입니다. 씨름은 고려시대부터 전해져 온 우리나라의 전통적인 스포츠로, 국민적인 사랑을 받고 있습니다. 또한 활쏘기, 제기차기, 윷놀이 등도 우리나라 특유의 전통 스포츠로 알려져 있으며, 이들은 한민족의 정신과 문화를 담고 있습니다. 이러한 전통 스포츠는 오늘날에도 많은 사람들에게 사랑받고 계속해서 전해져오고 있습니다. 현재에도 한국에서 많은 인기를 누리고 있는 전통 스포츠 중 하나는 씨름입니다. 씨름은 한국의 역사와 문화에 깊이 뿌리를 둔 전통적인 스포츠로, 오랜 역사와 함께 전해져 왔습니다. 씨름은 두 참가자가 서로의 힘과 기술을 겨루는 격투 스포츠로, 주로 특정 행사나 축제에서 시합이 개최됩니다. 씨름은 국가대표 선수들의 경기뿐만 아니라 지역 대회, 학교 체육대회, 그리고 일반인들의 취미로도 많이 즐겨지며, 많은 사람들이 관심과 애정을 가지고 참여하고 있습니다. 또한, 추석과 같은 전통적인 한국 명절이나 대한민국의 국가대표 경기인 '씨름대회'에서도 씨름 시합이 개최되어 많은 이들이 경기를 관람하고 응원합니다. 이러한 씨름대회는 전통과 현대의 조화로운 행사로 인기를 끌며, 많은 사람들이 씨름에 대한 관심과 사랑을 보여주고 있습니다. 따라서 씨름은 한국의 전통 스포츠 중 현재에도 많은 사람들에게 인기를 누리고 있는 스포츠입니다. 그만큼 씨름은 한국인들에게 깊은 의미와 함께 사랑받고 있으며, 한국의 스포츠 문화를 대표하는 중요한 요소 중 하나로 자리 잡고 있습니다.

3. 현대 스포츠의 성장과 성과

현대에 들어와서 우리나라 스포츠는 더욱 발전하였습니다. 1988년 서울 올림픽을 비롯하여 세계적인 스포츠 대회를 개최하며 우리나라의 스포츠 역량을 인정받았습니다. 특히 축구와 야구는 대중들에게 큰 인기를 끌며, 수많은 국가 대표팀의 경기에서 우리나라가 성과를 거두었습니다. 또한 골프, 탁구, 태권도 등의 스포츠에서도 세계적인 우승자를 배출하며 우리나라의 스포츠 실력을 입증하였습니다. 이러한 성과는 우리나라 스포츠의 발전과 함께 국민들의 스포츠에 대한 관심과 참여를 높여주었습니다. 이중 야구는 한국에서 매우 인기 있는 스포츠 중 하나로, 다양한 연령층에게 즐겨지고 있습니다. 야구를 시작하기에 앞서, 야구 게임을 통해 기본적인 룰과 기술을 익힐 수 있습니다.

현재 우리나라 스포츠에도 AI, VR 등이 접목되면서 스포츠를 쉽게 즐길 수 있습니다. 이에 컴퓨터나 게임 콘솔에서 야구 게임을 선택하여 가상의 야구 경기를 즐기면서 기본적인 야구 지식과 전략을 익힐 수 있습니다. 그리고 축구는 전 세계적으로 가장 인기 있는 스포츠 중 하나로, 한국에서도 큰 관심을 받고 있습니다. 축구 게임을 통해 기본적인 축구의 움직임, 패스, 드리블, 골킥 등을 연습할 수 있습니다. 다양한 축구 게임이 PC와 게임 콘솔에서 제공되며, 싱글 플레이나 멀티플레이 모드를 통해 게임을 즐길 수 있습니다. 이러한 게임들은 실제 경기를 직접 참여하는 것은 아니지만, 전략과 기술을 익히는 데 도움을 줄 수 있습니다. 게임을 통해 기본적인 룰과 전술을 배우고, 실전에서 적용할 수 있는 기회를 얻을 수 있습니다. 또한, 게임을 즐기면서 스포츠에 대한 흥미와 재미를 더욱 높일 수 있습니다. 이러한 상황들은 우리나라 e스포츠를 더욱 발전하게 할 수 있습니다.

4. 결론

우리나라 스포츠의 역사는 고대부터 현대까지 이어져온 풍요로운 역사입니다. 전통 스포츠의 유산을 계승하며 현대 스포츠의 발전과 성과로 이어지는 우리나라의 스포츠는 국민들에게 큰 사랑을 받고 있습니다. 앞으로도 우리나라 스포츠는 전 세계에서 더욱 큰 성과를 이뤄낼 것으로 기대됩니다. 스포츠는 우리의 건강과 문화를 함께 이끌어가는 중요한 요소이며, 국민 모두가 함께 즐길 수 있는 가치 있는 활동입니다.

제 8장 스포츠맨십: 스포츠의 공정과 예절을 함께

스포츠맨십은 스포츠 경기에서의 공정하고 예의 바른 행동을 의미합니다. 스포츠맨십은 스포츠의 본질을 존중하고 경기 참여자들 간의 상호 존중과 협력을 강조합니다.

1. 스포츠맨십이란 무엇인가?

스포츠맨십은 스포츠 경기에서의 행동 규범을 의미합니다. 이는 경기 도중 예절을 지키는 것부터 상대팀과의 존중과 협력, 승부 결과에 대한 스포츠맨스피릿을 포함합니다. 스포츠맨십은 경기의 결과보다는 참여자들이 서로를 존중하고 공정한 경기를 즐기는 것을 중요시합니다. 현재 우리나라에서는 프로스포츠 선수들에게 스포츠맨십 교육과 함께 스포츠윤리교육을 실시하고 있습니다.

2. 스포츠맨십의 개념과 원칙의 변화

스포츠맨십의 개념과 원칙은 오랫동안 안정적으로 유지되어 온 가치입니다. 그러나 최근 몇 년간 스포츠맨십이 변화하고 있는 추세를 살펴볼 수 있습니다.

1) 포용적인 스포츠맨십: 예전에는 경기에서의 경쟁과 승리가 주된 관심사였지만, 최근에는 포용적인 스포츠맨십이 강조되고 있습니다. 이는 경기 참여자들뿐만 아니라 관중들과의 상호작용에서도 중요한 요소로 부각되고 있습니다. 다양한 배경과 성별, 인종 등을 가

진 사람들이 스포츠에 참여하는 것을 존중하고 환영하는 스포츠맨십이 강조되고 있습니다.

2) 디지털 시대의 영향: 인터넷과 소셜 미디어의 발달로 인해 스포츠 경기와 관련된 행동이 더욱 널리 알려지고 공유되고 있습니다. 이에 따라 선수들과 관중들은 더욱 주의를 기울여 스포츠맨십을 지켜야 한다는 인식이 높아지고 있습니다. 선수들은 온라인 플랫폼에서의 언행에도 신경을 써야 하며, 관중들도 온라인에서의 행동이 스포츠맨십을 존중하는지에 대해 더욱 민감하게 인식하고 있습니다.

3) 사회적 이슈와의 연결: 최근의 사회적 이슈들은 스포츠맨십과 밀접한 연관성을 가지고 있습니다. 다양성, 인권, 공정한 경기 등에 대한 관심과 요구가 높아지면서, 스포츠맨십의 개념과 원칙에 대한 대화와 변화가 진행되고 있습니다. 스포츠 경기에서 선수들이 사회적 메시지를 전달하고, 스포츠 기관들이 사회적 정의와 공정성을 강조하는 등의 추세가 보이고 있습니다. 이러한 추세들은 스포츠맨십의 개념과 원칙이 조금씩 변화하고 있다는 것을 보여줍니다. 하지만 이는 단기적인 변동이 아닌 장기적인 변화로써, 스포츠맨십은 여전히 스포츠의 핵심 가치로 자리 잡고 있으며, 스포츠 관련자들의 주요 관심사 중 하나입니다.

3. 스포츠맨십의 중요성과 원칙, 그리고 위반 시 제재

스포츠맨십은 스포츠의 공정성과 예절을 유지하는 데 중요한 역할을 합니다. 경기 도중 상대팀과의 존중과 협력은 스포츠의 정신을 반영하며, 각자의 역할을 수행하고 규칙을 준수하는 것이 필요

합니다. 또한, 경기 결과에 대한 이기심보다는 스포츠맨스피릿을 지키는 것이 중요합니다. 그렇지만 스포츠맨십을 지키지 않는 선수나 팀에 대한 제재는 스포츠 기관과 단체의 규정과 정책에 따라 이루어집니다. 각 스포츠마다 다양한 제재 절차와 벌칙이 존재하지만, 일반적으로 다음과 같은 제재 방식이 사용될 수 있습니다.

1) 경고 및 벌점: 스포츠 경기 중에 스포츠맨십을 위반한 행위를 한 선수나 팀에게는 경고가 주어질 수 있습니다. 경고는 경기 진행 중에 주로 심판이나 심판단 기구를 통해 이루어지며, 경고를 받으면 향후 심각한 제재를 받을 가능성이 높아집니다. 또한, 일정 벌점을 받는 경우도 있습니다. 벌점은 특정 행위나 규칙 위반에 대해 특정 벌점을 부과하고, 일정 벌점을 누적하면 제재를 받을 수 있습니다.

2) 출전 정지: 스포츠맨십을 심각하게 위반한 경우, 해당 선수나 팀은 일정 기간 동안 경기 출전이 제한될 수 있습니다. 출전 정지는 경기 결과에 대한 직접적인 영향을 미치며, 심판단 기구나 스포츠 기관에 의해 결정됩니다.

3) 벌금: 스포츠맨십을 위반한 선수나 팀은 벌금을 부과 받을 수 있습니다. 벌금은 경기 진행 중 발생한 행위에 대한 경고나 벌점과 별개로 부과될 수 있으며, 경기 기관이나 스포츠 단체에서 이를 결정합니다. 벌금은 경제적인 제재로서 경기 참가자들에게 경각심을 심어주는 역할을 합니다.

4) 영구 제명: 스포츠맨십을 지키지 않는 심각한 행위를 한 선수나 팀에게는 영구적인 제명이 내려질 수 있습니다. 이는 해당 선수

나 팀이 더 이상 해당 스포츠 경기에 참여할 수 없음을 의미하며, 스포츠 기관이나 단체에서 결정합니다. 이는 가장 엄격한 제재 방법 중 하나로, 스포츠맨십을 심각하게 위반한 경우에 적용됩니다. 스포츠맨십을 지키지 않는 선수나 팀에 대한 제재는 각 스포츠마다 다를 수 있으며, 스포츠 기관의 규정과 정책에 따라 결정됩니다. 이를 통해 스포츠 경기의 공정성과 예의를 유지하고, 스포츠맨십의 가치를 실현하기 위한 노력이 이루어지고 있습니다.

4. 스포츠맨십을 통한 스포츠 문화의 발전 및 제재 외 다른 대안적인 방법

스포츠맨십은 스포츠 문화의 발전에 기여하는 중요한 요소입니다. 스포츠 경기에서 스포츠맨십을 보여주는 선수들은 좋은 모델로서 다른 참가자들에게 영감을 줄 수 있습니다. 또한, 스포츠맨십은 스포츠 경기의 관중들에게도 긍정적인 영향을 미치며, 스포츠 문화의 발전과 함께 사회 전반에도 긍정적인 메시지를 전달할 수 있습니다. 이에 제재 외 다른 대안적인 방법 또한 필요합니다. 이러한 방법들은 스포츠 기관이나 단체에서 스포츠맨십을 강화하고, 선수나 팀의 예의와 행동을 개선하기 위해 적용되는 경우가 많습니다. 이러한 대안적인 방법들은 다음과 같습니다.

1) 교육 프로그램: 스포츠 기관이나 단체에서는 스포츠맨십을 강화하기 위해 교육 프로그램을 제공할 수 있습니다. 이 프로그램은 선수들에게 스포츠맨십의 개념과 중요성을 가르치며, 예의 바른 행동과 상호 존중을 장려합니다. 교육 프로그램은 선수들의 인식을 개선하고 스포츠맨십에 대한 이해를 높이는 데 도움을 줄 수 있습

니다.

2) 사회봉사 활동: 스포츠맨십을 위반한 선수나 팀에게 사회봉사 활동을 부여하는 것도 대안적인 방법 중 하나입니다. 이를 통해 선수나 팀은 자신의 행동에 대한 책임을 느끼고, 사회로부터의 헌신과 보상을 경험할 수 있습니다. 사회봉사 활동은 선수나 팀의 성장과 스포츠맨십을 강화하는 데에 도움을 줄 수 있습니다.

3) 멘토링 프로그램: 스포츠 기관이나 단체에서는 스포츠맨십을 강화하기 위해 멘토링 프로그램을 운영할 수 있습니다. 이 프로그램은 선수들에게 경험 있는 선수나 전문가로부터 조언과 지도를 받을 수 있는 기회를 제공합니다. 멘토링은 선수들의 동료애와 스포츠맨십에 대한 가치를 강화하는 데 도움을 줄 수 있습니다. 이러한 대안적인 방법들은 스포츠맨십을 강화하고 선수나 팀의 예의와 행동을 개선하기 위한 다양한 시도입니다. 이와 함께 제재를 통한 징계와 교육적인 접근을 조합하여 스포츠 경기의 공정성과 예의를 높이는 데에 기여할 수 있습니다.

5. 결론

스포츠맨십은 스포츠 경기에서의 공정성과 예절을 중요시하는 가치입니다. 경기 참여자들과 관중들은 스포츠맨십을 지켜야만 스포츠 문화의 발전과 함께 상호 존중과 협력을 이룰 수 있습니다. 스포츠맨십은 스포츠 경기의 본질을 존중하고, 스포츠가 가진 가치를 높이는 데 큰 역할을 합니다.

제 9장 스포츠와 민족주의: 문화적인 융합과 아이덴티티 형성의 상관관계

스포츠는 문화적, 사회적, 철학적, 역사적인 의미를 지니고 있으며, 국가 아이덴티티 형성에도 영향을 미칩니다.

1. 스포츠의 역할과 중요성

스포츠는 국가의 자부심과 정체성 형성에 기여합니다. 예를 들어, 국가 대표팀이 국제 대회에서 승리하면 국민들은 자랑스러워하고, 이를 통해 국가의 단결감을 강화할 수 있습니다. 스포츠는 국가 간의 경쟁과 협력을 통해 국가 아이덴티티를 형성하는 중요한 매개체입니다.

2. 민족주의와 스포츠의 관계

민족주의와 스포츠는 밀접한 관련이 있습니다. 스포츠 경기에서의 국가 대표팀의 활약은 민족주의적 감정을 자극하고, 민족의 단결과 자존감을 높일 수 있습니다. 이러한 현상은 국가 간의 갈등과 경쟁에서도 나타납니다. 스포츠는 민족주의적 요소를 강조하거나 약화시킬 수 있는 도구로 작용할 수 있습니다.

3. 다양성과 공존을 통한 국가 아이덴티티 형성

다양성과 공존을 통해 국가 아이덴티티를 형성할 수 있습니다. 스포츠는 다양한 문화와 민족이 모여 하나의 팀으로 경기를 치르는 장면을 제공합니다. 이를 통해 다양한 민족 간의 이해와 공존을 촉진할 수 있습니다. 예를 들어, 국제 대회에서 다양한 국가의 선수들이 함께 경기를 치르고 친선을 나누는 모습은 문화적인 융합과 국가 아이덴티티 형성에 긍정적인 영향을 미칠 수 있습니다.

4. 민족주의와 스포츠를 결합한 새로운 비전

민족주의와 스포츠를 결합한 새로운 비전 중 하나는 "다문화주의 스포츠"입니다. 이 비전은 다양한 민족과 문화가 공존하며, 상호 이해와 협력을 통해 스포츠를 통한 다문화적인 경험을 이루어낼 수 있는 모델입니다. 다문화주의 스포츠는 다양한 민족과 문화의 차이를 존중하고 포용하는 가치를 강조합니다. 이를 위해 스포츠 팀이나 대회에 참가하는 선수들은 다양한 민족 출신으로 구성되며, 각각의 문화적 특징과 가치를 존중하고 공유합니다. 이는 상호 이해와 인종 간의 연대를 촉진하며, 민족 간의 갈등과 분열을 해소하는 데에도 도움을 줄 수 있습니다. 다문화주의 스포츠는 또한 문화 교류와 융합을 통해 새로운 창조적인 경험을 만들어냅니다.

예를 들어, 다양한 민족 출신 선수들이 자신의 문화적 특징을 반영한 독특한 팀 로고나 유니폼을 디자인하고, 경기 중에는 자국의 전통 음악이나 춤 등을 선보일 수 있습니다. 이를 통해 관중들은 다양한 문화의 아름다움을 경험하고, 다문화주의와 스포츠의 결합이 어떠한 창조적인 결과를 낳을 수 있는지를 보여줍니다. 또한, 다문화주의 스포츠는 국제적인 연대와 협력을 강화하는 데에도 기여할 수 있습니다. 다양한 민족 출신 선수들이 함께 팀을 이루어 국제 대회에 참가하고 경쟁을 펼치는 모습은 국가 간의 협력과 우정을 나타내며, 민족 간의 갈등을 넘어서는 예술적인 메시지를 전달할 수 있습니다. 이처럼 다문화주의 스포츠는 민족주의와 스포츠를 결합하여 새로운 비전을 제시하고자 합니다. 이를 통해 다양성과 공존을 존중하는 사회적인 가치를 확립하고, 스포츠를 통한 문화적 융합과 국제적인 연대를 실현할 수 있습니다.

5. 국제적으로 민족주의 경향에 대한 극복 방안

국제적으로 민족주의적인 경향이 나타나고 있다면, 이를 극복하기 위해 다음과 같은 방안들을 고려할 수 있습니다.

1) 국제 교류 및 대화 강화: 다양한 국가와 민족 간의 교류와 대화를 촉진하는 것이 중요합니다. 문화 교류, 학술적인 교류, 청년 교류 등을 통해 서로의 문화를 이해하고 존중할 수 있는 기회를 마련해야 합니다. 이를 통해 상호 이해와 우호적인 관계를 형성할 수 있습니다.

2) 국제기구와 협력 강화: 국제기구를 통한 협력을 강화하는 것도 중요합니다. 유엔과 같은 국제기구를 통해 다양한 국가들이 협력하고, 민족 간의 갈등을 예방하고 해소할 수 있는 프로그램을 지속적으로 발전시켜야 합니다. 이를 통해 국제 사회의 평화와 안정을 구축할 수 있습니다.

3) 교육과 인식 개선: 민족 간의 갈등과 분열을 극복하기 위해 교육과 인식 개선이 필요합니다. 교육 과정에서 다양한 문화와 민족에 대한 이해와 존중을 강조하고, 편견과 차별을 극복하는 교육을 실시해야 합니다. 또한, 민족 간의 이해와 협력을 촉진하는 문화 프로그램과 활동을 지원하고 홍보하는 것도 중요합니다.

4) 리더십의 역할: 국제적인 리더들은 민족주의적인 경향을 극복

하기 위해 적극적인 역할을 수행해야 합니다. 리더들은 다양성과 포용을 존중하는 가치를 보여주며, 국제 사회에서 협력과 평화를 증진시킬 수 있는 방향으로 나아가야 합니다.

5) 문화 교류 및 스포츠 이벤트 활성화: 문화 교류와 스포츠 이벤트를 통해 민족 간의 이해와 협력을 촉진할 수 있습니다. 문화 축제, 국제 스포츠 대회 등을 활성화시켜 다양한 민족들이 함께 참여하고 소통할 수 있는 기회를 제공해야 합니다. 이러한 방안들을 통해 국제적으로 민족주의적인 경향을 극복할 수 있으며, 다양성과 포용을 존중하는 세계적인 사회를 형성할 수 있을 것입니다.

6. 결론

스포츠와 민족주의는 서로 긴밀한 관련이 있으며, 스포츠는 국가 아이덴티티 형성에 중요한 역할을 합니다. 스포츠는 국가의 자부심과 단결감을 도모하고, 민족주의적 감정을 자극하며, 다양성과 공존을 통해 국가 아이덴티티를 형성합니다. 이러한 관점에서 스포츠는 문화적인 융합과 국가 아이덴티티 형성을 위한 중요한 도구로 활용될 수 있습니다.

제 10장 스포츠를 통해 깨달은 철학적 인사이트

스포츠는 우리가 일상에서 경험하는 활동 중 하나로, 심리적, 육체적인 즐거움을 주는 동시에 체력과 기술을 발전시키는데 도움을 줍니다. 그러나 스포츠는 단순한 게임 이상의 의미를 지니고 있습니다. 특히 스포츠를 즐기는 철학자들은 경기장에서 체험하는 순간들을 통해 깊은 인사이트를 얻고, 그것을 인간의 삶과 연결시키는데 성공합니다.

1. 스포츠와 인간의 본성

스포츠는 우리가 소유한 본성적인 욕구와 밀접한 관련이 있습니다. 경쟁, 협력, 승리, 패배 등은 우리가 타고난 본능으로서 우리를 움직이게 합니다. 이러한 본능은 스포츠를 통해 충족될 수 있고, 경기장은 우리가 이러한 본능을 자유롭게 발휘할 수 있는 공간입니다. 철학자들은 이러한 본능을 관찰하고 분석함으로써 인간 본성의 복잡성을 이해하려고 합니다.

2. 경기장에서의 현실과 윤리적 고민

스포츠는 단순한 게임이 아닌 현실의 미니어처입니다. 경기장에서는 선수들이 노력하고 열정을 쏟아내며 승리를 위해 투쟁합니다. 그러나 경기장은 때로 윤리적인 고민을 불러일으킵니다. 스포츠에서 공정성과 정의는 중요한 가치이지만, 경쟁과 승부의 순간에는 윤리적인 갈등이 발생할 수 있습니다. 철학자들은 이러한 윤리적 고민을 탐구하고, 스포츠를 통해 인간사회의 윤리적인 측면을 이해하려고 합니다.

3. 챔피언 정신과 인생의 가치

스포츠는 챔피언 정신을 강조합니다. 챔피언은 노력과 헌신으로 성공을 이루는 사람을 의미합니다. 철학자들은 이러한 챔피언 정신을 인생의 가치와 연결시킵니다. 스포츠를 통해 배우는 역경 극복, 목표 달성, 팀워크 등은 인생의 여러 영역에서도 적용될 수 있는 가치들입니다. 철학자들은 스포츠를 통해 인간의 인내와 자기 계발의 의미를 탐구합니다.

4. 스포츠를 즐긴 대표 철학자

1) 프리드리히 니체 (Friedrich Nietzsche): 니체는 산악 등반을 즐겼으며, 이를 통해 인간의 힘과 용기에 대한 철학적인 인사이트를 얻었습니다. 그는 "의지의 힘"과 같은 개념을 통해 우월한 인간의 태도와 도덕을 탐구했습니다.

2) 알베르 카뮈 (Albert Camus): 카뮈는 축구를 사랑했으며, 그의 철학적인 작품에도 축구와 경기의 의미에 대한 언급이 있습니다. 그는 인간의 존재와 도덕적인 선택을 탐구하는 동안 경기장에서의 경쟁과 협력의 중요성에 대해 고찰했습니다.

3) 마르 하이데거 (Martin Heidegger): 하이데거는 스키를 좋아했으며, 자연과의 접촉과 경험을 통해 인간의 존재와 현실에 대한 철학적인 사유를 전개했습니다. 그는 자연과의 조화와 개별 경험의 중요성을 강조하였습니다. 이 외에도 다른 철학자들 중에도 스포츠

를 즐기는 사람들이 있을 수 있으나, 이들은 대표적인 예시 중 일부입니다. 각 철학자들은 자신의 철학적인 이론과 스포츠 감상 사이에 연결고리를 찾으며, 스포츠를 통해 인간의 삶과 도덕적인 가치에 대해 고찰했습니다.

5. 철학적인 이론과 스포츠와 연결

1) 플라톤 (Plato): 플라톤은 "국가"라는 저작에서 체육활동과 교육을 연결시켰습니다. 그는 체육활동을 통해 몸과 영혼의 균형을 이룰 수 있다고 주장하며, 체육이 윤리적인 교육과 연계되어야 한다고 주장했습니다.

2) 존 듀이 (John Dewey): 듀이는 교육 철학자로서 스포츠와 경험 중심의 교육을 주장했습니다. 그는 스포츠를 통해 학생들이 실제적인 경험을 통해 배우고 성장할 수 있다고 믿었으며, 체육활동을 통해 더 넓은 사회적 관계와 협력을 발전시킬 수 있다고 주장했습니다.

3) 마르틴 하이데거 (Martin Heidegger): 하이데거는 스포츠와 자연의 경험을 통해 인간의 존재와 현실에 대한 철학적인 사유를 전개했습니다. 그는 스포츠를 통해 자아의 탐색과 개별 경험을 실현할 수 있다고 주장했습니다. 이 외에도 철학자들은 스포츠를 통해 인간의 의미, 자유, 도덕 등 다양한 주제를 탐구하고자 했습니다. 스포츠는 철학적인 사유와 연결될 수 있는 다양한 측면을 제공하며, 이를 통해 인간의 존재와 실천, 도덕적 가치 등에 대한 이해를 발전시키는 데 기여할 수 있습니다.

6. 결론

스포츠는 우리에게 철학적인 깨달음을 주는 독특한 경험입니다. 철학자들은 스포츠를 통해 인간의 본성과 윤리적인 고민, 그리고 인생의 가치에 대해 깊이 생각하고 연구합니다. 스포츠는 단순한 게임 이상의 의미를 지니며, 우리에게 인간의 복잡성과 가치에 대한 통찰력을 제공합니다. 그래서 우리는 스포츠를 즐기는 동안 철학자들의 인사이트를 배우고, 이를 우리의 삶에 적용하여 더욱 풍요로운 존재가 될 수 있습니다.

제 11장 축구장에서 치어리더가 없는 이유와 그 영향

1. 치어리더의 역할과 중요성

치어리더는 스포츠 경기 중에 관중들을 응원하고 분위기를 고조시키는 역할을 합니다. 그들의 활기찬 춤과 응원은 선수들에게 자신감을 심어주고 경기의 재미를 더해줍니다. 또한, 치어리더는 팀의 이미지와 정체성을 대중에게 전달하는 중요한 매개체입니다. 그들은 팀 로고와 색상을 활용하여 팬들과의 감성적인 연결고리를 형성하며, 팀의 홍보와 마케팅에도 큰 역할을 합니다.

2. 문화적 차이와 트렌드 변화

치어리딩은 주로 미국을 중심으로 발전된 문화적인 요소입니다. 그러나 다양한 국가와 문화에서 축구가 인기를 얻고 있고, 관중들의 기호와 선호도도 변화하고 있습니다. 일부 국가에서는 다른 형태의 응원을 선호하거나, 팀의 이미지를 다른 방식으로 구축하고 있습니다. 이러한 문화적 차이와 트렌드 변화로 인해 일부 축구장에서는 치어리더를 고용하지 않는 선택을 하고 있습니다.

3. 경제적인 이유와 운영상의 어려움

치어리더를 고용하는 것은 추가적인 비용과 시간이 소요됩니다. 축구장은 이미 경기와 관련된 다양한 요소들을 운영하고 유지하는 데 많은 자원을 투입하고 있습니다. 따라서 일부 축구장에서는 치어리더를 고용하는 것보다 경제적인 이유로 이러한 자원을 다른 측면에 집중시키는 선택을 하고 있습니다. 또한, 치어리더를 운영하는 데에는 훈련과 조정, 일정 관리 등의 어려움이 따르기도 합니다.

4. 치어리더가 축구장에서는 왜 활동을 하지 않는가?

축구장에서 다른 스포츠 경기장과 비교하여 치어리더가 활동하지 않는 이유는 다양한 이유가 있을 수 있습니다. 주된 이유는 다음과 같습니다.

1) 경기 형태와 특성: 축구는 다른 스포츠와 비교해 경기가 연속적으로 진행되는 특징이 있습니다. 축구 경기는 절대적인 시간제한이 없고, 점수 차이가 많이 벌어지지 않는 경우가 많아 경기 중간에 여유로운 시간이 존재할 수 있습니다. 따라서 축구 경기에서는 치어리더의 춤과 응원이 경기 진행에 큰 영향을 미치지 않을 수 있습니다.

2) 관중의 문화와 선호도: 축구 경기의 관중들은 다른 스포츠 경기와는 조금 다른 문화와 선호도를 가지고 있을 수 있습니다. 일부 축구 팬들은 치어리더보다는 다른 형태의 응원을 선호하거나, 관중 자체가 경기 분위기를 만들고 유지하는 역할을 맡을 수도 있습니다. 이는 지역적인 문화와 관중의 특성에 따라 다를 수 있습니다.

3) 경제적인 이유와 운영상의 어려움: 축구 경기장은 이미 경기 관련 요소들을 운영하고 유지하는 데 많은 자원을 투입하고 있습니다. 추가적으로 치어리더를 고용하고 훈련시키는 것은 비용과 시간이 소요됩니다. 이는 일부 축구장에서는 경제적인 이유와 운영상의 어려움으로 치어리더를 고용하지 않는 선택을 하는 이유가 될 수

있습니다.

4) 문화적인 차이와 트렌드 변화: 축구는 세계적으로 인기 있는 스포츠로 다양한 국가와 문화에서 경기가 열리고 있습니다. 각 지역에서는 축구 경기의 관람 문화와 선호도가 다를 수 있으며, 이에 따라 치어리더의 존재와 역할에 대한 관점도 다를 수 있습니다. 일부 지역에서는 다른 형태의 응원을 선호하거나, 팀의 이미지를 다른 방식으로 구축하고 있는 경우도 있습니다. 이러한 이유들로 인해 축구장에서는 치어리더의 활동이 다른 스포츠 경기장에 비해 덜 보이는 경우가 있을 수 있습니다. 그러나 이는 축구 경기와 관중들의 특성에 따른 선택이며, 각 축구장과 지역에서는 이에 대한 다양한 접근 방식이 존재할 수 있습니다.

5. 다른 스포츠경기장에서 치어리더가 활동하는 이유?

다른 스포츠 경기장에서 치어리더가 활동하는 이유는 여러 가지가 있습니다. 주요한 이유는 다음과 같습니다.

1) 분위기 조성: 치어리더는 경기장 분위기를 활발하고 열정적으로 만들어줍니다. 그들의 춤과 함성, 응원은 관중들에게 긍정적인 영향을 미치며, 경기에 참여하는 선수들에게도 에너지를 전달합니다. 이로 인해 경기장이 활기차고 열정적인 분위기로 가득 차게 됩니다.

2) 시선 집중: 치어리더는 매력적인 모습과 동작으로 관중들의 시선을 끌어주는 역할을 합니다. 그들의 활동은 경기장에서 일어나는 다른 사건들과 구별되어 독특한 시각적 요소를 제공합니다. 이는 경기를 관람하는 관중들에게 더욱 흥미로운 시각적 경험을 제공하

는 데 도움이 됩니다.

3) 응원 및 동기 부여: 치어리더는 팀을 응원하고 선수들에게 동기를 부여하는 역할을 합니다. 그들은 응원가를 부르고, 응원하는 동작과 함성을 통해 선수들에게 긍정적인 영향을 주며, 팀의 승리를 위해 관중들과 함께 열정적으로 응원합니다. 이는 선수들의 사기를 높이는 데 도움을 줄 수 있습니다.

4) 상업적 가치: 치어리더는 스포츠 경기의 상업적인 가치를 높이는 데 기여할 수 있습니다. 그들은 스폰서와의 협력을 통해 광고 및 홍보 활동을 수행하거나, 이벤트에서 출연하여 관중들과의 상호작용을 통해 팀과 스폰서의 브랜드 가치를 홍보하는 역할을 합니다.

5) 전통과 문화: 일부 스포츠에서는 치어리더가 경기장에서 오랜 전통으로 이어져온 문화적인 요소입니다. 이러한 전통은 팀과 팬들 간의 유대감을 형성하고, 특정 스포츠 경기의 관람 경험을 더욱 풍부하게 만듭니다. 이러한 이유들로 인해 다른 스포츠 경기장에서는 치어리더의 활동이 활발하게 이루어지며, 스포츠 경기장의 분위기와 관중들의 참여를 증진시키는 역할을 합니다.

6. 결론

치어리더가 축구장에서 없는 이유는 다양한 요인들의 결합으로 이해할 수 있습니다. 문화적인 차이와 트렌드 변화, 경제적인 이유와 운영상의 어려움 등이 그중 일부입니다. 그러나 치어리더의 존재가 축구 경기의 분위기와 팀의 이미지 형성에 긍정적인 영향을 미칠 수 있으므로, 관중들과 팀의 요구에 따라 치어리더의 존재 여부를 결정하는 것이 중요합니다.

제 12장 스포츠와 도덕: 윤리적 관점에서 본 연결고리

스포츠는 우리 사회에서 광범위한 영향력을 가지고 있으며, 이는 도덕적인 측면에서도 중요한 이슈로 떠오르고 있습니다. 스포츠는 우리에게 운동, 경쟁, 팀워크 등의 가치를 전달해 주는 동시에, 도덕적인 행동과 가치를 강조하는 플랫폼으로 작용합니다.

1. 스포츠의 사회적 영향과 도덕적 가치

스포츠는 사회적 영향력을 통해 도덕적인 가치를 전파합니다. 스포츠를 통해 우리는 공정성, 존중, 헌신, 협력 등의 가치를 경험하고 학습할 수 있습니다. 경기장에서의 공정한 경쟁은 스포츠 선수들뿐만 아니라 관중들에게도 도덕적인 행동을 요구합니다. 이러한 가치들은 우리 사회 전반에 긍정적인 영향을 미치며, 도덕적인 인성과 사회적 관계의 향상에 기여합니다.

2. 도덕적 행동과 스포츠 선수의 모범적 역할

스포츠 선수들은 모범적인 도덕적 역할을 수행합니다. 스포츠는 선수들에게 더 높은 도덕적 기준을 요구합니다. 스포츠 선수들은 자기 통제, 책임감, 팀워크, 예의 바른 태도 등의 도덕적인 가치를 실천해야 합니다. 이러한 모범적인 행동은 팬들과 관중들에게 긍정적인 영향을 주며, 도덕적인 롤 모델로서의 역할을 수행합니다. 스포츠 선수들의 도덕적인 모습은 사회 전반에 긍정적인 가치를 전달하고 영감을 주는 역할을 합니다.

3. 스포츠의 도덕적 문제와 대응 전략

스포츠는 도덕적인 문제와 대응 전략을 다루는데 도움을 줍니다. 스포츠는 때로 도덕적인 갈등과 문제를 야기하기도 합니다. 예를 들어, 도합과 도합사이의 불공정한 경쟁, 도합 선수들의 부적절한 행동 등이 이에 해당합니다. 이러한 도덕적인 문제에 대해서는 국제적인 체육 기구와 협력하여 윤리적인 가이드라인과 규칙을 수립하고, 교육과 감시를 통해 대응할 필요가 있습니다. 스포츠의 도덕적인 문제에 대한 적극적인 대응은 스포츠의 가치를 높이고, 도덕적인 사회 구축에 도움을 줄 수 있습니다.

4. 스포츠와 도덕의 연관과 다양한 관점

1) 공정성과 도덕: 스포츠는 공정성의 원칙을 강조합니다. 경기에서의 공정한 경쟁은 스포츠의 근본적인 가치 중 하나입니다. 스포츠는 공정한 규칙과 공평한 기회를 제공하여 선수들이 공정하게 경쟁할 수 있는 환경을 조성합니다. 이러한 공정성은 도덕적인 가치 중 하나로 간주되며, 스포츠를 통해 이를 경험하고 배울 수 있습니다.

2) 예의와 도덕: 스포츠는 예의와 도덕적인 행동을 요구합니다. 선수들은 경기 중 예의 바른 태도를 유지하고, 상대팀과 심판에 대한 존중을 보여야 합니다. 관중들 역시 스포츠 경기에서 예의를 갖추고, 감정을 조절하여 상대팀과 관중에게 존중을 보여야 합니다. 이러한 예의와 도덕적인 행동은 스포츠 경기를 원활하게 진행하고, 스포츠의 가치를 높이는 역할을 합니다.

3) 팀워크와 협력: 스포츠는 팀워크와 협력을 강조합니다. 다양한 스포츠 경기에서는 선수들이 팀원들과 협력하여 목표를 달성해야 합니다. 이를 통해 스포츠는 개인의 이기심을 극복하고, 팀의 목표를 위해 협력하는 도덕적인 가치를 강조합니다. 스포츠를 통해 협력과 팀워크의 중요성을 배울 수 있으며, 이는 현실 생활에서도 도덕적인 행동과 관계가 있습니다.

4) 스포츠 선수의 모범적 역할: 스포츠 선수들은 도덕적인 모범이 되어야 합니다. 스포츠는 대중적인 관심을 받는 분야로, 스포츠 선수들은 많은 사람들에게 영향을 미칩니다. 따라서 스포츠 선수들은 도덕적인 행동과 모범적인 태도를 보여야 합니다. 이를 통해 스포츠 선수들은 팬들과 관중에게 긍정적인 영향을 주며, 도덕적인 롤모델로서의 역할을 수행합니다. 이렇듯, 스포츠와 도덕은 서로 깊은 연관성을 가지고 있습니다. 스포츠를 통해 우리는 공정성, 예의, 팀워크, 협력 등의 도덕적인 가치를 경험하고 배울 수 있습니다. 더 나아가, 스포츠는 도덕적인 행동과 모범적인 태도를 요구하여 사회적인 가치를 형성하고 기여합니다.

5. 스포츠의 도덕적 문제

스포츠는 도덕적인 가치를 강조하고 가르치는데 도움을 줄 수 있지만, 동시에 도덕적인 문제들도 가질 수 있습니다. 아래에 몇 가지 스포츠의 도덕적 문제를 제시해 드리겠습니다.

1) 도핑과 성능개선: 도핑은 스포츠의 도덕적인 문제 중 하나로 꼽힙니다. 선수들이 성능 향상을 위해 금지된 약물을 사용하는 것은 공정성과 허위 경쟁을 야기할 수 있습니다. 도핑은 스포츠의 원

칙과 규칙을 위반하며, 다른 선수들과의 공정한 경쟁을 방해할 수 있습니다.

2) 폭력과 공격적인 행위: 스포츠 경기에서 폭력적인 행위나 공격적인 행동은 도덕적인 문제로 여겨집니다. 상대 선수나 심판, 심지어는 관중에 대한 폭력은 스포츠의 가치를 훼손시키고, 안전과 예의를 저해할 수 있습니다. 스포츠는 경쟁과 격렬한 열정을 담고 있지만, 이러한 행동은 도덕적인 규범을 위반하는 것으로 여겨집니다.

3) 부정한 심판과 결정: 스포츠 경기에서 심판의 부정한 심사나 결정은 도덕적인 문제로 여겨집니다. 심판은 공정한 경기 진행을 책임지는 중요한 역할을 맡고 있으며, 그들의 판단과 결정은 선수들과 관중들에게 영향을 미칩니다. 심판의 부정한 행동은 스포츠의 공정성과 도덕성을 훼손시킬 수 있습니다.

4) 차별과 인종 문제: 스포츠는 다양한 문화와 인종의 선수들이 참여하는 활동으로 알려져 있습니다. 그러나 때로는 차별이나 인종 문제가 스포츠 경기에 나타날 수 있습니다. 인종 차별적인 언행이나 행동은 스포츠의 다양성과 포용성을 침해할 수 있으며, 도덕적인 문제로 여겨집니다. 이러한 도덕적 문제들은 스포츠 경기와 관련하여 주의를 요구하는 문제입니다. 스포츠는 도덕적인 가치를 강조하고 배울 수 있는 훌륭한 플랫폼이지만, 이러한 도덕적 문제들을 인식하고 대응하는 것이 중요합니다. 이에 관련 단체와 개인의 노력을 통해 스포츠의 도덕성을 강화하고, 공정하고 예의 바른 스포츠 문화를 구축할 수 있습니다.

6. 도덕적인 문제가 발생한 스포츠대회에서의 조치

도덕적인 문제가 발생한 스포츠 대회에서는 일반적으로 다음과 같은 조치들이 취해질 수 있습니다. 하지만 조치는 상황과 대회의 규모에 따라 다를 수 있습니다.

1) 조사와 증거 수집: 도덕적인 문제가 제기되면 해당 사안에 대한 조사와 증거 수집이 필요합니다. 조사를 통해 사건의 경위와 관련된 정보를 수집하고, 관련된 인증된 증거를 확보합니다.

2) 징계와 제재: 도덕적인 문제가 확인되면 해당 선수, 감독, 심판 또는 관련 인원에 대해 징계와 제재가 가해질 수 있습니다. 예를 들어, 도핑 관련 문제에서는 선수에게 경기에서의 참가 금지, 상금의 박탈, 경기 결과의 취소 등의 제재가 가해질 수 있습니다. 폭력이나 인종 차별과 관련된 문제에서는 해당 선수나 관련 인원에게 경고, 벌금 또는 경기 출전 금지와 같은 징계가 이뤄질 수 있습니다.

3) 교육과 인식 제고: 도덕적인 문제의 예방을 위해 스포츠 대회에서는 관련된 인원들에게 교육과 인식 제고 프로그램을 실시할 수 있습니다. 도덕적인 가치와 스포츠의 원칙에 대한 교육을 통해 참가자들이 올바른 행동과 태도를 갖도록 도움을 줄 수 있습니다.

4) 규정 개선과 강화: 도덕적인 문제가 발생한 경우, 해당 스포츠 대회의 규정과 정책을 개선하고 강화하는 것이 필요할 수 있습니다. 예를 들어, 도핑 문제가 반복적으로 발생한다면 더 강력한 검사 체계를 도입하거나 제재 조항을 강화할 수 있습니다.

5) 사회적인 비판과 대화: 도덕적인 문제가 대중의 관심을 받는 경우, 사회적인 비판과 대화가 이루어질 수 있습니다. 관련 단체나

스포츠 기구는 이러한 비판과 대화에 대해 적극적으로 응답하고 개선을 위한 노력을 보일 수 있습니다. 이러한 조치들은 도덕적인 문제의 심각성과 상황에 따라 다양하게 적용될 수 있습니다. 스포츠 대회는 도덕적인 가치와 공정성을 보장하기 위해 이러한 조치들을 통해 문제를 해결하고 스포츠의 도덕성을 유지하는 데 노력합니다.

7. 결론

스포츠는 도덕적인 가치와의 연결고리를 형성하는 중요한 요소입니다. 스포츠는 사회적인 영향력을 통해 도덕적인 가치를 전파하고, 스포츠 선수들은 모범적인 도덕적 역할을 수행함으로써 긍정적인 영향을 미칩니다. 또한, 스포츠의 도덕적인 문제에 대한 적극적인 대응은 스포츠의 가치를 높이고, 도덕적인 사회 구축에 도움을 줄 수 있습니다. 스포츠와 도덕은 상호보완적인 관계를 가지며, 스포츠를 통해 우리는 더 나은 도덕적인 사회를 만들어 나갈 수 있습니다.

제 13장 스포츠의 매력과 다크호스의 등장

1. 스포츠의 인기와 다양성

스포츠는 전 세계적으로 사랑받는 문화이자 즐거움의 근원입니다. 축구, 야구, 농구 등 다양한 종목들은 많은 사람들을 끌어들이며, 흥미와 열정을 안겨줍니다. 이러한 스포츠의 인기는 다양한 이유로 설명할 수 있습니다. 첫째, 스포츠는 경기의 결과가 예측되지 않는 불확실성을 가지고 있어, 관전자들에게 긴장감과 설렘이라는 감정을 선사합니다. 둘째, 스포츠는 개인과 팀의 노력과 협력이 부각되는 경기 과정을 담고 있어, 스포츠맨십과 동료애를 배양하는데 큰 역할을 합니다. 셋째, 스포츠는 사회적인 의미를 가지고 있어, 국가와 지역 간의 경쟁, 문화 교류 등을 통해 사회적인 결속력을 형성하는 역할을 수행합니다.

2. 스포츠에서 예측할 없는 결과가 나오는 이유

1) 경기 동안의 다양한 변수: 스포츠 경기는 많은 변수들로 구성되어 있습니다. 선수들의 상태, 팀의 전략, 환경적 요소(날씨, 경기장 조건 등), 상대 팀의 강점과 약점 등이 모두 경기 결과에 영향을 미칠 수 있습니다. 이러한 다양한 변수들로 인해 예측하기 어려운 결과가 나타날 수 있습니다.

2) 선수들의 경기력 변동성: 선수들은 경기력이 일정하지 않을 수 있습니다. 경기 당일의 컨디션, 부상 여부, 심리적인 요인 등이 선

수의 퍼포먼스에 영향을 미치기 때문입니다. 선수들의 경기력 변동성은 예측할 수 없는 결과를 초래할 수 있습니다.

3) 전략적 요소와 불확실성: 팀들은 경기에서 다양한 전략을 사용합니다. 예상치 못한 전술 변화, 예상 밖의 플레이 패턴 등은 경기 결과에 큰 영향을 미칠 수 있습니다. 팀 간의 전략적 대결은 예측하기 어려운 결과를 만들어낼 수 있습니다.

4) 경기의 동적인 흐름: 스포츠 경기는 동적이며 변화무쌍한 흐름을 가지고 있습니다. 경기 도중에 상황이 급변할 수 있고, 예상치 못한 이벤트나 역전이 발생할 수 있습니다. 이러한 동적인 흐름은 결과를 예측하기 어렵게 만듭니다.

5) 우연성과 운명적 요소: 스포츠는 우연성과 운명적인 요소가 작용할 수 있는 경기입니다. 볼의 튕김, 심판의 판단, 운이 좋거나 나쁜 상황 등은 예측할 수 없는 결과를 초래할 수 있습니다.

3. 다크호스의 정의와 예시

다크호스는 예상 밖의 성과를 이루는 주인공을 가리키는 용어로, 스포츠에서도 종종 등장합니다. 다크호스는 흔히 예상되지 않은 성적으로 좋은 성과를 내는 팀이나 선수를 뜻합니다. 예를 들어, 축구에서 강호로 손꼽히지 않던 나라가 월드컵에서 갑자기 준결승까지 진출하는 경우, 농구에서 약세팀이 강팀을 꺾고 우승을 차지하는 경우 등이 다크호스의 대표적인 사례입니다. 이러한 다크호스의 등장은 스포츠의 매력을 한층 높여주고, 예측할 수 없는 경기 결과에 대한 기대감을 불러일으킵니다.

4. 스포츠에서 다크호스가 등장하는 경우

1) 약세팀의 강력한 경기력: 다크호스는 예상되지 않게 강력한 경기력을 발휘하는 약세팀으로 나타날 수 있습니다. 이는 예상 밖의 팀의 성장이나 선수들의 놀라운 플레이로 인해 가능합니다. 이런 경우에는 예상과는 달리 다크호스 팀이 강력한 팀을 이기는 등의 결과가 나타날 수 있습니다.

2) 예상 밖의 전략과 플레이: 다크호스는 종종 예상 밖의 전략과 플레이를 통해 경기에서 주목을 받습니다. 이는 상대 팀이 예상하지 못한 전략이나 팀원들 간의 조합, 개인적인 탁월한 플레이 등을 통해 이루어질 수 있습니다. 이러한 예상 밖의 요소는 경기 결과에 영향을 주고 다크호스로 인식되게 만듭니다.

3) 선수나 팀의 급부상: 다크호스는 종종 선수나 팀의 급부상으로 나타날 수 있습니다. 이는 예상치 못한 선수의 개인기, 팀의 집단력과 협동심 등으로 인해 이루어질 수 있습니다. 이런 경우에는 이전까지는 주목받지 않았던 선수나 팀이 갑자기 눈에 띄게 되고 경기 결과에 영향을 줄 수 있습니다.

4) 예상치 못한 상황의 변화: 다크호스는 예상치 못한 상황의 변화로 등장하기도 합니다. 예를 들어, 강력한 팀의 부상자나 팀 내부의 분쟁 등으로 인해 상황이 변화할 수 있습니다. 이런 예상치 못한 상황의 변화는 경기 결과에 영향을 주고 다크호스 팀이 등장하게 만듭니다. 다양한 상황에서 다크호스가 등장할 수 있으며, 이는 스포츠의 매력 중 하나로 여겨집니다. 다크호스의 등장은 예측 불가능성과 경기의 재미를 더해주며, 관전자들에게 기대감과 흥미를 불러일으킵니다.

5. 다크호스의 성공 요인과 기대감

다크호스가 성공을 거두는 데에는 몇 가지 요인이 있습니다. 첫째, 다크호스는 기존의 예상과는 다른 전략과 플레이를 시도하며, 상대방에게 예측할 수 없는 변수를 제공합니다. 이는 상대 팀이 대응하기 어렵게 만들어 승리의 기회를 높입니다. 둘째, 다크호스는 자신들의 한계를 인식하고, 노력과 훈련을 통해 성장하는 경향이 있습니다. 이는 다크호스의 성공에 큰 역할을 합니다. 셋째, 다크호스의 등장은 경기 결과에 대한 기대감을 높여주며, 관전자들에게 뜨거운 관심과 열정을 전파합니다. 이는 스포츠 대회나 이벤트의 인기를 높이는데 일조합니다.

6. 결론

스포츠는 많은 이들에게 흥미와 즐거움을 안겨주는 문화입니다. 그리고 다크호스의 등장은 스포츠의 매력을 한층 더 높여주는 요소입니다. 예상할 수 없는 결과와 뜨거운 관심을 자아내는 다크호스는 우리에게 끊임없는 경기의 재미와 기대감을 선사합니다. 스포츠와 다크호스는 우리에게 계속해서 새로운 이야기와 감동을 선사할 것입니다.

제 14장 스포츠공부의 중요성과 필요성

1. 왜 스포츠공부를 해야 할까요?

스포츠공부는 우리 건강과 행복에 매우 중요한 역할을 합니다. 우리는 일상생활에서 많은 시간을 앉아서 보내는 경향이 있는데, 이는 우리 근육을 약화시키고 신체 활동 부족으로 인한 건강 문제를 야기할 수 있습니다. 스포츠공부를 통해 우리는 근육을 강화하고 유연성을 향상할 수 있습니다. 또한, 스포츠공부를 통해 스트레스를 해소하고 긍정적인 에너지를 얻을 수 있습니다.

2. 스포츠공부의 장점

스포츠공부는 우리에게 다양한 장점과 효과를 제공합니다. 첫째, 스포츠공부는 우리의 신체적인 건강을 증진시킵니다. 규칙적인 운동은 심혈관 기능을 강화하고 면역 체계를 강화시켜 주어 질병 예방에 도움을 줍니다. 둘째, 스포츠공부는 우리의 정신적인 건강을 증진시킵니다. 운동은 우리의 뇌에 산소를 공급하고 스트레스를 완화시켜 주어 우리의 기분과 자기 자신에 대한 자신감을 향상합니다. 또한, 스포츠공부는 우리의 사회적인 관계를 향상하고 협동심을 발전하는데 도움을 줍니다.

3. 어떻게 스포츠공부를 시작할까요?

스포츠공부를 시작하는 가장 좋은 방법은 자신에게 맞는 운동을 선택하는 것입니다. 우리는 다양한 종류의 스포츠와 운동을 선택할 수 있으며, 우리의 흥미와 목표에 맞는 운동을 찾는 것이 중요합니다. 또한, 스포츠공부를 위해 시간을 할애하는 것이 중요합니다. 우리는 우리의 일정에 운동 시간을 포함시키고 꾸준한 노력을 통해 스포츠공부를 지속해야 합니다.

4. 스포츠공부의 효과

1) 신체적인 건강 증진: 스포츠 공부는 우리의 신체적인 건강을 증진시킵니다. 규칙적인 운동은 심혈관 기능을 강화하고 혈액순환이 원활해지며, 근육을 강화시켜 체력과 근력을 향상합니다. 또한, 스포츠 공부는 체지방을 감소시키고 신체의 윤활성을 향상해 유연성을 높여 운동 부상의 위험을 줄이는 효과도 있습니다.

2) 정신적인 건강 강화: 스포츠 공부는 우리의 정신적인 건강을 강화시킵니다. 운동은 우리의 뇌에 산소를 공급하고 혈류를 증가시켜 뇌 기능을 향상합니다. 이로 인해 집중력과 기억력이 향상되며, 우울감과 스트레스를 완화시켜 우리의 기분과 자기 자신에 대한 자신감을 향상합니다. 또한, 운동은 우리의 체내 에너지를 소모시키고 피로를 풀어주어 좋은 수면을 유도하여 수면의 질을 향상하는 효과도 있습니다.

3) 사회적인 관계 개선: 스포츠 공부는 우리의 사회적인 관계를 개선시키는데 도움을 줍니다. 팀 스포츠를 통해 우리는 협력과 협동심을 발전시키고 다른 사람들과의 소통과 협력을 통해 친목을 도모할 수 있습니다. 또한, 스포츠 경기나 훈련을 통해 친구나 동료들과 함께 목표를 공유하고 동기부여를 받으며, 그들과의 교류를 통해 사회적인 관계를 발전시킬 수 있습니다.

4) 스트레스 해소: 스포츠 공부는 스트레스 해소에 매우 효과적입니다. 운동은 우리의 신체에 적당한 스트레스를 가하고, 이를 극복하면서 우리의 스트레스 반응 시스템을 조절합니다. 운동은 우리의 신체에 염증을 줄이고, 산소와 영양분을 공급하여 우리를 활력과 기운 넘치는 상태로 만들어줍니다. 이로 인해 스트레스로 인한 우울감이나 불안감을 완화시키고 긍정적인 마인드를 유지할 수 있습니다. 스포츠 공부는 우리의 신체적인 건강과 정신적인 건강을 향상하고, 사회적인 관계를 개선시키며, 스트레스를 해소하는데 큰 도움을 줍니다. 이러한 다양한 효과들을 통해 우리는 더욱 건강하고 행복한 삶을 살 수 있습니다.

5. 스포츠공부를 통한 성취감

스포츠 공부를 통해 성취감을 느낄 수 있습니다. 스포츠는 목표를 설정하고 그 목표를 달성하기 위해 노력하는 과정을 포함하고 있습니다. 이러한 과정에서 자신의 실력을 향상하고 경기에서 좋은 성과를 내는 것은 큰 성취감을 줄 수 있습니다. 스포츠 공부를 통해 성취감을 느끼는 몇 가지 예를 들어보겠습니다. 먼저, 개인 스포츠에서는 개인 기록을 개선하거나 목표 시간에 도달하는 것이 성취감을 줄 수 있습니다. 예를 들어, 달리기나 수영에서 개인 기록을 달성하거나 이전보다 더 빠른 시간을 달성하는 것은 자신의 노력이 보상받는 느낌을 줄 수 있습니다. 또한, 팀 스포츠에서는 팀원들과의 협력을 통해 목표를 달성하는 것도 성취감을 줄 수 있습니다. 예를 들어, 축구나 농구에서 승리를 위해 팀원들과 함께 노력하고 그 결과로 승리를 이끌어 내는 것은 큰 성취감을 주는 요소입니다.

또한, 팀에서 맡은 역할을 성공적으로 수행하고 팀의 승리에 기여하는 것도 성취감을 느낄 수 있는 부분입니다. 마지막으로, 스포츠에서는 개인적인 도전과 극복의 과정이 있습니다. 예를 들어, 어려운 기술이나 도전적인 동작을 연습하고 마스터하는 과정에서 성공을 경험하면 큰 성취감을 느낄 수 있습니다. 이러한 도전과 극복의 과정은 자신의 능력을 높여주고 성장하는 기회를 제공합니다. 따라서 스포츠 공부를 통해 목표를 달성하고 성과를 경험하는 과정에서 성취감을 느낄 수 있습니다. 이를 통해 자신의 능력에 대한 자신감을 향상하고 즐거움을 느낄 수 있습니다. 스포츠 공부를 통해 성취감을 느끼고자 한다면, 명확한 목표를 설정하고 꾸준한 노력을 통해 달성해 나가는 것이 중요합니다.

6. 결론

스포츠공부의 가치와 추진 방법 스포츠공부는 우리의 건강과 행복에 매우 중요한 역할을 합니다. 우리는 스포츠공부를 통해 신체적인 건강과 정신적인 건강을 증진시킬 수 있습니다. 또한, 스포츠공부는 우리의 사회적인 관계를 향상시키고 협동심을 발전하는데 도움을 줍니다. 우리는 자신에게 맞는 운동을 선택하고 꾸준히 노력하여 스포츠공부를 추진해야 합니다. 스포츠공부를 통해 우리는 더 건강하고 행복한 삶을 살 수 있습니다.

제 15장 운동선수와 인성

1. 운동선수의 몸과 기량은 중요하지만, 인성 또한 결정적인 요소

운동선수들은 높은 수준의 신체적 능력과 기술을 갖추어야 합니다. 그러나 운동선수로서 성공을 이루기 위해서는 인성도 중요한 요소입니다. 인성은 운동선수가 동료, 코치, 팬들과의 관계를 형성하고 유지하는 데 도움을 줍니다. 좋은 인성을 가진 운동선수는 자신의 팀원들과 협력하며 팀의 목표를 달성하는 데 기여할 수 있습니다. 또한 팬들과의 긍정적인 상호작용을 통해 운동선수의 인기와 지지를 얻을 수 있습니다

2. 운동선수의 인성이 스포츠 경기에 미치는 영향과 중요성은 무엇일까요?

운동선수의 인성은 스포츠 경기에 큰 영향을 미칩니다. 경기 도중에는 승패에 대한 강한 열망과 경쟁심이 운동선수에게서 발현되지만, 이를 관리하고 통제하는 데 인성이 큰 역할을 합니다. 운동선수가 강한 인성을 가지고 있다면 어려운 상황에서도 타협하지 않고 최선을 다할 수 있습니다. 또한 공정하고 예의 바른 행동은 공정한 경기를 만들고 스포츠의 정신을 유지하는 데 도움을 줍니다. 반면, 부정적인 인성을 가진 운동선수는 경기 도중에 행동이나 언사가 공격적이거나 불필요한 충돌을 유발할 수 있습니다. 이는 경기의 흐름을 방해하고 경기 전반적인 분위기를 악화시킬 수 있습니다.

3. 운동선수들의 인성과 관련된 사회적 논란과 이슈

스포츠 선수들의 인성과 관련하여 사회적으로 논란이 되는 이슈는 여러 가지가 있습니다. 몇 가지 대표적인 이슈를 소개해 드리겠습니다.

1) 폭력적인 행동: 스포츠 경기 도중에 폭력적인 행동이 발생하는 경우 사회적인 논란이 될 수 있습니다. 상대 선수나 심판, 관중 등에 대한 공격적인 행동은 스포츠의 정신과 더불어 안전과 예의를 저해하는 행위로 여겨질 수 있습니다.

2) 인종 차별과 차별적 행동: 스포츠 경기에서 인종 차별적인 행동이나 언사가 나타나면 사회적인 비난을 받을 수 있습니다. 인종이나 출신 국가에 대한 차별적인 표현이나 행동은 편견과 편협한 시각을 보여주며, 다양성과 포용성을 장려하는 스포츠의 가치에 어긋날 수 있습니다.

3) 도핑: 운동능력 향상을 위해 금지된 약물을 사용하는 도핑은 스포츠 선수들의 인성에 대한 의문을 제기할 수 있는 이슈입니다. 도핑은 공정한 경쟁을 방해하고 선수들 간의 불평등을 초래할 수 있으며, 스포츠의 정상적인 가치와 목적을 훼손하는 행위로 여겨집니다.

4) 비윤리적인 행동: 스포츠 선수들의 비윤리적인 행동은 사회적인 비난을 받을 수 있습니다. 부정한 방법으로 경기 결과에 영향을 주는 조작이나 부정한 행위, 돈에 눈이 멀어 규칙을 어기는 행동 등은 스포츠의 공정성과 정직성을 훼손하는 요소로 여겨질 수 있습니다. 이러한 이슈들은 스포츠 선수들의 인성과 관련하여 사회적인

관심과 논란을 불러일으킬 수 있습니다. 스포츠 선수들은 이러한 이슈들에 대해 인식하고, 스포츠의 정신과 가치를 존중하며, 긍정적인 모범을 보여주는 것이 중요합니다.

4. 우리는 어떻게 운동선수의 인성을 개발하고 향상할 수 있을까요?

운동선수의 인성은 훈련과 교육을 통해 개발하고 향상할 수 있습니다. 첫째로, 팀 내에서 협력적인 분위기를 조성하고 리더십을 발휘할 수 있도록 코치와 팀원들이 지원해야 합니다. 둘째로, 운동선수들에게 공정하고 예의 바른 행동을 강조하는 교육 프로그램을 도입할 수 있습니다. 이를 통해 운동선수들은 스포츠의 가치와 정신을 깨닫고 이를 실천할 수 있습니다. 마지막으로, 선수들에게 긍정적인 모범을 제시하는 역할 모델을 소개하여 좋은 인성을 배울 수 있도록 도와줄 수 있습니다. 즉, 스포츠 선수들의 인성적인 면을 개선하기 위해서는 다음과 같은 노력이 필요합니다.

1) 교육과 인식 제고: 스포츠 선수들에게는 스포츠의 정신과 가치에 대한 교육이 필요합니다. 팀워크, 존중, 공정성 등을 강조하는 교육 프로그램을 마련하고, 선수들에게 인성적인 면에서의 중요성을 인식시켜야 합니다. 이를 통해 선수들은 자신의 행동이 스포츠와 사회에 미치는 영향을 이해하고, 책임감을 가질 수 있습니다.

2) 리더십 강화: 팀의 리더나 감독들은 선수들에게 좋은 모범을 보여주고, 긍정적인 영향을 끼칠 수 있습니다. 리더십의 역할을 수행하는 사람들은 자기 자신의 행동에 대해 규범적이고 예의 바른 모습을 보여주는 것이 중요합니다. 이를 통해 선수들은 리더들을

본받아 성숙한 인성을 발전시킬 있습니다.

3) 엄격한 규정과 제재: 스포츠 단체나 리그는 인성적인 행동을 강조하는 엄격한 규정을 마련하고, 이를 준수하지 않는 선수들에게는 적절한 제재를 가해야 합니다. 제재가 강화되면 선수들은 자신의 행동이 경기 결과뿐만 아니라 개인적인 명예와 이미지에도 영향을 미칠 수 있다는 것을 인식하게 됩니다.

4) 긍정적인 모범 사례 홍보: 성실하고 훌륭한 인성을 지닌 선수들의 모범적인 사례를 홍보하는 것도 중요합니다. 스포츠 선수들 중에서도 사회적으로 존경받고 인성적으로 우수한 선수들을 주목하고, 그들의 이야기와 경험을 널리 알리는 것은 다른 선수들에게 긍정적인 영감과 교훈을 줄 수 있습니다.

5. 결론

운동선수와 인성은 밀접하게 연관되어 있습니다. 운동선수로서의 성공은 물론 개인적인 만족감을 얻기 위해서도 좋은 인성은 필수적입니다. 운동선수들은 몸과 기량만큼이나 인성적인 면에서도 발전해야 합니다. 우리는 훈련과 교육을 통해 운동선수의 인성을 개발하고 향상할 수 있으며, 이를 통해 스포츠 경기의 질과 스포츠 세계의 긍정적인 변화를 이끌어낼 수 있습니다.

작가의 말

이 책은 블로그에다가 스포츠에 대해서 글쓰기를 하였고, 이를 수
정 및 보완하여 출간하게 되었다.

처음 블로그를 시작했을 때는 책으로 출간할지는 모르고 스포츠를
전공하고 연구하면서 생각했던 내용들이나 수업자료들을 정리하는
차원에서 스포츠 글쓰기를 하였다.

그렇지만 블로그를 하면 할수록 스포츠에 대하여 더 깊게 생각하고
글쓰기도 많이 향상되는 것이 느껴졌다. 그래서 어느 정도 시간이
지난 후에는 책을 출간해야 한다는 마음이 형성되었고, 스포츠에
대한 글쓰기를 진지하고 성실하게 하였다.

이제는 블로그에 글이 많이 쌓이면서 정리를 해야 할 시기가 되었
고, 카테고리 없이 그때그때 생각하고 글쓰기 했던 포스팅을 잘 정
리하여 내놓게 되었다.

이 책에서 스포츠를 크게 4가지 영역으로 구분하였다. 제 1부에서
는 스포츠와 일상으로 독자들이 편하게 읽을 수 있도록 노력하였
다. 제 2부에서는 스포츠와 경제에 대하여 글을 쓰면서 자본주의

사회에서 스포츠는 돈과 불가분의 관계를 형성하고 있다는 것을 새삼 다시 느꼈다. 제3부에서는 스포츠와 과학으로 스포츠는 과학이라는 것을 최대한 쉽게 풀어쓰고자 하였다. 제 4부에서는 스포츠와 인문학으로 스포츠에 대한 깊은 성찰을 하고자 노력하였다.

이렇듯 블로그를 통하여 스포츠 글쓰기를 하면서 내 자신이 먼저 더 성장하게 된 것 같다. 나를 돌아보고 성찰하는 시간을 더 가지게 되었으며, 이제 블로그에 글쓰기는 나의 일상이 되었다. 앞으로 블로그를 통해 스포츠 글쓰기는 계속 될 것이며, 이 책은 시리즈로 지속적으로 출간 될 것이다.

우리사회에서 스포츠는 이제 건강과 함께 삶의 질과 연관되어지고 있다. 그래서 이 책이 체육과 스포츠뿐만 아니라 모든 분야의 사람들에게 읽혔으면 한다. 스포츠는 영상이나 움직임을 보는 것이 일반적이지만, 움직이지 않는 스포츠와 관련 된 글이나 책은 잘 보게 되지 않는다. 그렇지만 책은 나와 너, 그리고 우리사회 전체를 움직이게 한다. 스포츠의 역동성과 책이 가지고 있는 엄청난 가치를 스포츠 글로써 더 확장하고 변화시키고자 이 책을 바칩니다.

참고문헌

https://sport11.tistory.com [체육인:티스토리]

김진훈 drymoon-1@hanmail.net

국립군산대학교 체육학과를 졸업하고 동 대학원에서 교육학 석사와 박사학위를 취득하였다. 국립군산대학교 스포츠과학연구소에서 학술연구교수로 재직하였고, 원광대학교 체육청소년연구소에서 박사후 국내연수를 하였다. 이후 서해대학 스포츠복지과에서 초빙교수로 재직하였고, 국립군산대학교, 국립한경대학교, 우송대학교, 을지대학교(대전캠퍼스), 국립전주교육대학교, 서해대학에서 강의하고 있다.

스포츠와 힘, 권력이란 주제로 다양한 연구를 시도하고 있으며, 스포츠에서 물질적 가치가 아닌 정신적 가치를 추구하고자 노력하고 있다. 현장에서 부와 명예를 위해서 자행되고 있는 도핑을 예방하고 방지하고자 2008년부터는 도핑검사관으로, 2014년부터 도핑교육홍보 전문 강사로 활동하고 있으며, 2019년에는 대한체육회 스포츠 인권 전문 강사로 활동하였다. 그리고 최근 문제가 되는 스포츠 인권에 대하여 2020년 스포츠윤리센터에서 스포츠 인권 전문 강사, 2021년 인천시체육회에서 스포츠 인권 전문 강사로 활동하고 있으며, 2021년 한국프로스포츠협회에서는 스포츠 윤리 강사로도 활동하고 있다. 그리고 스포츠 안전을 위하여 2020년 스포츠안전재단에서 스포츠 안전교육 강사로, 2023년 스포츠안전재단 스포츠안전컨설턴트로 활동하고 있다.

저서로는 『스포츠를 철학하다』(공저), 『스포츠지도사2급한권으로합격하기』(공저), 『새로운 세상-스포츠플랫폼』이 있다.